PŪGIŌ BRŪTĪ

PŪGIŌ BRŪTĪ

A CRIME STORY IN EASY LATIN

BY

Daniel Pettersson
Amelie Rosengren

LATINITIUM.COM

BERNICE & BERTIL

ACKNOWLEDGEMENTS

Grātiās maximās agimus amīcīs quī nōs in scrībendō multum adiūvērunt, quōrum nōmina in litteram dīgesta hīc reddere volumus: Alessandro Conti, Joel Derfner, Tom Keeline, Ioanna Laeta, Peter Nickson, Johan Winge.

Grātiās agimus et operī fundātō Hagendahlēnsī.

Grātiās agimus et parentibus nostrīs quī semper nōbīs adfuērunt atque hortātī sunt ut perseverārēmus.

INDEX RĒRUM

PREFACE

READING LATIN CAN be enjoyable, enriching and—dare we say it?—easy. But learners who have had the great good fortune to acquire this skill are few and far between. At Latinitium we are convinced everyone can learn to read Latin well without constant recourse to translations and grammars. What it requires is reading lots of Latin matched to your current learning level. And, most importantly, the text you read must tell a good story. When we read a novel in our own language we expect to be kept turning the page from start to finish. For Latin students such books are hard to come by. We recently published the novel *Ad Alpēs* by H. C. Nutting, which is a good read for upper-intermediate learners. Sad to say, there are too few well-written stories for lower-intermediate learners. *Pūgiō Brūtī: A Crime Story in Easy Latin,* aims to fill this gap, offering students an exciting full-length story in Classical Latin.

Pūgiō Brūtī has a vocabulary of approximately 350 unique words. The story is over 9,000 words long, thus providing intense exposure to the items in the basic selection. The grammar is by and large unsheltered (i.e. structures are used as required by the story) though some more advanced grammatical elements have been omitted.

There is a full vocabulary list at the end of the book so a separate dictionary is unnecessary. Note that the definitions and structures in the list reflect their specific usage in the context of the story.

Throughout the book a number of original illustrations by Amelie Rosengren enliven the text and aid comprehension.

Who can read it?

Thanks to the relatively small number of unique words, the illustrational aids and a full vocabulary, *Pūgiō Brūtī* may be enjoyed by a wide range of learners.

Since *Pūgiō Brūtī* is intended to be a stepping stone for students at the outset of their journey towards the ultimate goal of reading Latin from the classical period and beyond, structures common to Latin such as ablative absolutes and cum-clauses are frequently used. But we repeat: the range and repetition of vocabulary and grammar is subservient to the story itself. Following the plot will facilitate reading competence and acquisition of the language.

We have taken pains to write our narrative in a highly classical style—as far as that is possible working within the confines of a genre and level alien to the ancients. To a very

high degree, only words, collocations, and expressions atte-
sted in Classical Latin have been employed. Many stylistic
features and dialogue patterns stem from the plays of Plautus
and Terentius and from the *Satyricon* of Petronius.

Pūgiō Brūtī aims to help compensate for the total absence
of easy texts from antiquity. We hope the style and setting of
our story will provide an acceptable modern stand-in.

Daniel Pettersson

Stockholm, December 2018
Latinitium.com

Persōnae

Terentia

P. Terentius Aëtius, pater
Terentiae

Dōrippa, ancilla Terentiae

Oeneus, caupō

 Minister caupōnae

 Q. Clōdius Crēscēns

 Ursula, ancilla Clōdiī

 Mendīcus

 Adulēscēns

 C. Bombius Parvus

1. Via Aurēlia 2. Tiberis 3. Pōns Aemilius 4. Stabulum 5. Domus Clōdiī 6. Porta Flūmentāna 7. Asina Caupōna 8. Forum Rōmānum 9. Subūra 10. Domus Terentiī 11. Domus Augustī 12. Circus Maximus 13. Porta Capēna 14. Via Appia.

PROLOGUS

Sōl lūcēbat. Terentia iānuam post sē clausit et patrem intuita est, quī in lectō iacēbat. Tum ad eum accessit et manum eius prehendit. Pallida erat.

Terentius fīliam intuēns, "Tempus est mē," inquit, "Terentia, abīre. Doleō quod tibi nōn multum relinquō. Dīvitēs ōlim fuimus! Meministīne?"

Terentia patrī respondit: "Meminī, ō pater, sed tibi dormiendum est."

Tum Terentius, "Mea fīlia," inquit, "audī: Ante mē sunt tenebrae. Mox moriar."

"Ō pater!" exclāmāvit Terentia.

"Audī," inquit Terentius, "est quod tibi nārrem."

Terentia iuxtā eum cōnsēdit.

Tum pater, "Audī," inquit, "mea Terentia, prope omnia

nostra—aurum, equōs, alia multa—ūnus homō nōbīs abstulit. Prope nihil aliud iam habeō quam hoc. Prope nihil aliud mihi restat quod tibi dem."

Pater pūgiōnem in manū Terentiae posuit et, "Hic pūgiō," inquit, "Brūtī fuisse dīcitur. Hic est ille pūgiō quō Iūlium Caesarem ōlim percussit. Tē volō hunc pūgiōnem habēre. Hic enim pūgiō tē dūcet ad..."

Terentius subitō tacuit.

"Pater?" exclāmāvit Terentia. "Pater?! Respondē! Quō mē dūcet? Pater?!"

Terentius oculōs clausit. Mortuus est.

Terentia pūgiōnem manibus tenēbat. Dum patris pūgiōnem prae sē tenet, "Per hunc," inquit, "pūgiōnem iūrō, pater: Nostra recuperābō!"

Capitulum
Prīmum

sequēbātur → was following
quam → than

ante → before

At night in Rome

TERENTIA CURRĒBAT. Nox Rōmae erat et Terentia per obscūrās urbis viās currēbat. Celeriter currēbat. Ante sē umbram vidēbat. Eam sequēbātur. Sed umbra celerius currēbat quam Terentia. *She was following the darkness* Terentia subitō cōnstitit. Via erat vacua et obscūra. Nōn vidēbat umbram quam sequēbātur. Īrāta exclāmāvit: "Ubi es?!" Terentia currere volēbat, umbram sequī volēbat. Sed urbs et via nimis obscūrae erant.

Terentia circumspexit. Viās et aedēs vidēbat, sed obscūrae erant. Umbrās vidēbat, multās umbrās, sed umbra quam sequēbātur iam nōn vidēbat.

Nox erat obscūra. Perīculōsum erat noctū Rōmae forīs *outside* esse; Terentia erat sōla et via erat vacua.

Terentia conversa rediit eādem viā quā vēnerat. Ad

caupōnam rediit ē quā tam celeriter paulō ante abierat. Parvam caupōnae iānuam paulisper intuita est. Iānua rubra erat. Nōmen caupōnae erat 'Asina', in quā erant lūmen et calor et multī hominēs. In viā erant tenebrae et frīgus et nūllī hominēs. Terentia sōla erat.

CAPITULUM
SECUNDUM

TERENTIA AB OBSCŪRĀ viā abiit et caupōnam intrāvit.
Ad ministrum caupōnae accessit et ita locūta est:
"Salvē. Adulēscēns modo hīc fuit."
"Fuit," respondit minister.
"Ex hāc caupōnā," inquit Terentia, "fūgit."
"Fūgit," respondit.
Terentia perrēxit ita rogāre: "Scīsne quis ille sit?"
"Sciō." inquit minister caupōnae. Tum Terentia subīrāta,
"Age," inquit, "dīc, quis tandem est?"
Hīc vir cum ānulīs aureīs ad Terentiam accessit et, "Latīnē,"
inquit, "ille nōn intellegit. Graecus est."
"Ain' tū?" inquit Terentia. "Nunc intellegō cūr ita mihi
responderit! Latīnē loquī nescit!"
Tum vir cum ānulīs aureīs, "Ita est," inquit. "Oeneus sum,

caupō sum et haec est mea caupōna! Quid vīs? Vīsne vīnum? Habēmus multa vīna et ea bona! Prōme nummōs."

"Vīnum," inquit Terentia, "nōlō. Audī, adulēscentem quaerō quī ex hāc caupōnā modo fūgit. Eum fortasse vīdistī?"

"Quid?" inquit caupō. "Tē nōn iam vult?"

Terentia īrāta caupōnem intuita est.

"Adulēscentem," inquit, "ex hāc caupōnā fugientem secūta sum. Vīdistīne eum?"

"Fortasse," inquit Oeneus, "eum vīdī. Sed quid tum? Cūr eum quaeris?"

Cui Terentia, "Aliquid," inquit, "mihi abstulit."

Vir cum ānulīs aureīs subrīsit tum ita locūtus est: "Ain' tū? Abstulit? Quid tibi abstulit?"

"Pūgiōnem," inquit Terentia, "mihi abstulit."

Tum ille: "Pūgiōnemne tuum? Mēcum sī vēneris, alium tibi dabō; multōs habeō."

"Nōn tuum," inquit, "sed meum pūgiōnem volō."

Tum ille: "Cūr eum tibi abstulit?"

Terentia subīrāta respondit: "Quī sciam? Nōn fuit tempus eum tum rogāre! Sed heus, dīc mihi, adulēscentem quī pūgiō-nem mihi abstulit, nōstīn'?"

"Nōn," inquit caupō, "nōvī."

"Vīderāsne," inquit Terentia, "eum ante?"

Respondit ille: "Saepe vīdī."

Tum illa: "Quā est faciē?"

Caupō Terentiam intuēns, "Quid?" inquit, "Nescīs quā faciē sit? Nōnne eum forās secūta es?"

"Sum secūta," respondit, "sed quā faciē esset in tenebrīs vidēre nōn potuī."

Tum caupō, "Age," inquit, "quae sciō, tibi dīcam: Ille quem

quaeris adulēscēns est pulcher capillō nigrō, immō pulcherrimus, et parvīs est manibus."

"Geritne," rogāvit Terentia, "ānulōs aureōs, ut tū?"

"Ānulōs," respondit, "nōn gerit, quod sciam."

"Quis," inquit Terentia, "eum nōvit? Sī saepe hīc fuit, ut
dīxistī, fortasse aliquis eum nōvit. Soletne aliquis hīc cum
eō loquī?"

Caupō scelestō similis subrīsit.

"Nōn," inquit, "sed sī virum capillō nigrō vīs, ecce mē."

Tum Terentia īrāta, "Quid tandem?" inquit, "Tūne habēs
pūgiōnem meum?"

"Nōn pūgiōnem," respondit caupō, "sed aliquid melius
habeō..." Et gradum magnum ad eam fēcit.

Terentia ē caupōnā fūgit. Neque eō redīre cōgitābat: Noctū
Rōmae nōn tantum viae sed etiam caupōnae perīculōsae erant.

CAPITULUM TERTIUM

TERENTIA VIĪS OBSCŪRĪS et vacuīs domum celeriter ībat. Perīculōsum erat noctū forīs esse, neque sine ancillā suā forīs esse dēbēbat. Terentia cum ancillā suā in caupōnā fuerat, sed ubi ancilla iam esset nesciēbat. Cum domum tandem rediisset, sēcum paulisper cōgitāvit: *Quōmodo pūgiōnem recuperem? Umbram sōlam adulēscentis vīdī. Tantum est.*

Adulēscentem autem esse pulchrum, capillō nigrō, parvīs manibus sciēbat. Haec omnia ille caupō nārrāverat sed Terentiam nōn multum adiuvābant.

Terentia domī diū sedēbat cum eī in mentem vēnit esse vīnum super tunicam suam! Nesciēbat essetne ancilla domī, sed surrēxit et, dum tunicam exuit, clāmāvit: "Dōrippa! Tunica mea maculās vīnī habet! Accēde hūc!"

Dōrippa, ancilla eius, in conclāve celeriter vēnit et tunicam sūmpsit; abībat cum Terentia "Dōrippa," clāmāvit, "manē! Ē caupōnā ēgressa quō abiistī?"

Ad hoc Dōrippa ancilla, "Ubi ē caupōnā," inquit, "ēgressa es, tē secūta sum, sed celerius cucurristī quam ego; post trēs viās tē nōn iam vidēbam. Paulō diūtius cucurrī sed omnēs viae vacuae erant. Cum nusquam tē vidērem, domum rediī. Male fēcī?"

"Immō," respondit Terentia, "rēctē fēcistī. Noctū enim perīculōsum est forīs esse."

Dōrippa rogāvit: "Cūr ē caupōnā tam subitō ēgressa es?"

"Nōnne," inquit Terentia, "vīdistī adulēscentem quī forās ē caupōnā fūgit?"

"Eum," respondit, "nōn vīdī. Illud sōlum vīdī vīnum tibi super tunicam effundī. Tum cucurristī. Tantum est."

"Adulēscēns," inquit Terentia, "mihi abstulit pūgiōnem quī in mēnsā iacēbat; itaque eum secūta sum."

Ad hoc Dōrippa: "Prehendistīne eum?"

"Nōn prehendī, quod celerius cucurrit quam ego."

Tum Dōrippa: "Male nārrās. Numquid vīs?"

"Ut mihi tunicam," inquit Terentia, "pūram afferās."

Dōrippa conversa abiit.

Paulō post Terentia dormītum iit sed dormīre nōn poterat. Etiam īrāta erat. Nesciēbat enim quōmodo pūgiōnem patris recuperāret. Cōgitābat sēcum: *Nihil nōn faciam ut patris dōnum recuperem; id per oculōs iūrō!*

Capitulum
Quārtum

Proximus diēs lūmen et calōrem attulit. Terentia nocte nōn dormīverat. Nocte oculōs nōn clauserat. Dē lectō surrēxit et pūram tunicam induit. Flāvās aut rubrās tunicās gerere solēbat sed illō diē candidam sūmpsit. ⁊ Ancillā domī relictā Terentia forās ēgressa est. Circumspexit: Via iam erat plēna hominum.

Quamquam nōlēbat, ad caupōnam in quā proximā nocte fuerat rediit. Ad caupōnam vēnit, ad iānuam accessit, sed nōn intrāvit: Caupōnem, hominem scelestum cum ānulīs aureīs, rūrsus vidēre nōlēbat. Itaque ā caupōnā statim abiit et perrēxit eādem viā quā umbram proximā nocte secūta erat. Volēbat aliquid reperīre quod ad scelestum adulēscentem, quī pūgiōnem abstulerat, dūceret. Via autem illō diē alia esse vidēbātur quam ea quā nocte proximā cucurrerat. Tam multī erant hominēs ut Terentia viam et aedēs vix vidēret. Tandem eō vēnit ubi proximā nocte cōnstiterat. Terentia circumspexit: Erat via aliīs viīs similis.

Viam ingressa est, sed nesciēbat quō īret. Ūnam ē portīs urbis praeteriit; Porta Flūmentāna erat. Nōn longē ab eā Tiberim vidēre poterat, sed ē portā nōn est ēgressa. Perrēxit. Subitō mediā viā cōnstitit. Duo enim magnī equī eādem viā ībant. Terentiam praeteriērunt et aliam viam ingressī sunt. Terentia equōs oculīs secūta est.

Nesciēbat quō īret. Nesciēbat ubi adulēscentem scelestum quaereret.

Oculōs apertōs tenēre vix poterat. Circumspexit ubi sedēret. Iuxtā eam stābat raeda vacua. In raedā cōnsēdit. Nōn multō post Terentia in raedā dormiēbat. Sōle lūcente dormiēbat quasi plēna nox esset.

Capitulum
Quīntum

RAEDA IN QUĀ Terentia sedēbat viā longā celeriter ībat. Terentiā iam dormiente raeda abībat et post longum tempus ad aedēs obscūrās vēnit. Equī raedam cum Terentiā in aedēs trāxērunt.

Multō post Terentia sonitū excitāta est; ad hunc sonitum oculōs aperuit. Circumspexit. In conclāvī obscūrō et tacitō erat. Nihil in tantīs tenebrīs vidēre poterat. Nōn placēbat; sciēbat enim Rōmam perīculōsam esse. Sīc pater dīxerat.

Nōn sōlem, nōn viam hominum plēnam, tenebrās sōlās ante sē iam vidēbat. Nōn placēbat.

In raedā etiam sedēbat sed ubi esset nesciēbat. Tum sonitum, quō paulō ante excitāta erat, rūrsus audīvit.

Aliquis eam intuēbātur, sed in tantīs tenebrīs, quis esset, Terentia nōn vidēbat, sed sciēbat aliquem ante sē stāre et sē intuērī.

"Heus," inquit Terentia, "quis es? Cūr mē intuēris?"

Nēmō respondit Terentiae clāmantī.

"Heus!" inquit Terentia, "Adiuvā mē, rogō tē! Nesciō ubi sim! Abīre volō!"

Clāmantī Terentiae nēmō respondit; Terentia sonitum accēdentis per tenebrās iam audiēbat.

Terentia iam tam pallida erat quam tunica quam gerēbat. Sonitum rūrsus audīvit. Iam aliquis nōn longē ab eā stābat.

"Adiuvā mē, rogō tē! Volō domum redīre!"

Subitō ante sē duōs oculōs vīdit. Tam magnī erant ut etiam in tenebrīs cōnspicerentur. Oculī similēs sōlibus in tenebrīs lūcēbant.

"AAAAAAAH!" exclāmāvit Terentia.

Iānua post Terentiam subitō aperta est. Sōl forīs lūcēbat. Terentia iam vidēbat. Ante eam stābat asinus.

Terentia tacuit.

Homō magnā barbā conclāve celeriter intrāvit et subrīdēns, "Hic est Lūcius," inquit, "asinus meus optimus, immō aureus."

"Quid? Quid nārrās?" inquit Terentia.

Vir magnā barbā, "Bene," inquit, "dormīvistī? In raedā enim meā sedēns dormīvistī. Tē ante excitāre nōluī, sed nunc mihi raedā opus est. Haec enim raeda Lutetiam mox ībit, itaque tibi dēscendendum est."

Terentia ē raedā dēscendit. Ē conclāvī obscūrō ēgressa in sōlem vēnit. Tum intellēxit ubi esset: equōs, asinōs, raedās vidēbat. Stabulum erat.

Terentia paulisper venientēs et euntēs oculīs secūta est. Erat stabulum plēnum equōrum et raedārum. Hūc multī veniēbant hominēs: aliī ut ad urbem aliam raedā īrent, aliī ut dōna ad aliam urbem mitterent. Terentia quoque ad aliam urbem īre volēbat. Cōgitābat sēcum: *Athēnās, Alexandrīam, Lutetiam, ante omnia Londīnium īre volō, ibi enim hominēs nōn scelestī sed bonī sunt, et barbam habent. Id pater ōlim dīxit. Pater numquam errat.*

Barbae Terentiae placēbant.

Capitulum
Sextum

Terentia, cum Lūcium asinum paulisper intuita esset, perrēxit. Dē pūgiōne ablātō rūrsus cōgitābat: Nesciēbat quid faceret, sed aliquid faciendum esse sciēbat.

Subitō mediā viā cōnstitit. Iānuam iuxtā stabulum cōnspexit. Parva erat. Rubra erat. Sēcum ita cōgitābat: *Ubi hanc iānuam rubram ante vīdī?*

Tum intellēxit sē ibi olim fuisse cum patre. Pater Terentiae cum brevī virō ibi locūtus erat. Ūna enim ē patris ancillīs fūgerat: Pater ad virum brevem cum Terentiā filiā statim ierat et hominem brevem rogāverat ut ancillam sibi reperīret. Terentia nihil aliud dē hāc rē sciēbat.

Illīs temporibus tam multās ancillās habuerant, sed nunc homō scelestus prope omnēs habēbat. Dōrippa sōla iam restābat.

Terentia ante iānuam rubram paulisper tacita stetit. Tum manum eī imposuit. Iānuā apertā intrāvit.

Post iānuam erant tenebrae. Terentia in parvō conclāvī obscūrō iam stābat. Conclāve erat rubrum. Ante Terentiam erat alia iānua et iuxtā eam etiam aliae iānuae. Subitō ūna ex iīs aperta est et parva fēmina conclāve intrāvit. Ad Terentiam accessit et tacita eam diū intuita est.

"Salvē," inquit Terentia.

Tum Ursula—hoc enim nōmen fēminae fuit—rogāvit: "Quid? Vīn' Clōdium vidēre?"

Terentia nesciēbat quis Clōdius esset sed intellēxit eundem esse dēbēre quī patrem multō ante adiūvisset.

"Volō," respondit Terentia.

"Eī," inquit Ursula, "nōn est tempus."

Fēmina parva in Terentiam suspexit.

"Exspectāre," inquit Terentia, "possum. Scīsne quam diū exspectandum sit?"

Subīrāta, "Nōn," inquit fēmina.

Fēmina parva Terentiam diū intuita est, tum tacita abiit. Mox in conclāve rediit cum sellā quam ante Terentiam posuit. Tum, "Hīc," inquit, "cōnsīde."

Terentia in sellā tacita cōnsēdit. Fēmina rūrsus abiit.

CAPITULUM SEPTIMUM

TERENTIA IN PARVĀ sellā in conclāvī obscūrō et rubrō diū sēdit. Subitō ūnā ē iānuīs apertā vir longus magnā barbā intrāvit. Terentia subrīdēns sēcum cōgitāvit illum magnā barbā pulchrum esse. Vir magnā barbā Terentiam in tenebrīs sedentem nōn vīdit, sed statim accessit ad iānuam quae forās ferēbat, quā apertā ēgressus est. Īrātus esse vidēbātur.

"Heus!"

Aliquis post eam stābat. Terentia caput convertit. Post eam vir brevis magnō ventre stābat. Neque capillōs in capite neque barbam in faciē habēbat.

Subrīdēns, "Salvē," inquit Terentia.

"Salvē," respondit vir magnō ventre.

"Mihi nōmen," inquit, "est Terentia; potesne mē adiuvāre?"

"Fortasse. Mihi nōmen est Clōdius," inquit vir brevis.
"Sequere mē et nārrā mihi rem omnem."

Clōdius Terentiam in proximum conclāve, quod erat
flāvum, sēcum dūxit.

"Cōnsīde," inquit Clōdius.

Terentia in ūnā ē sellīs rubrīs cōnsēdit.

Clōdius rogāvit Terentiam: "Vīsne quod bibās?"

"Volō," inquit Terentia, "vīnum, sī habēs."

Clōdius ē conclāvī ēgressus ad aliud conclāve iit et iānuam
quā fēmina paulō ante abierat aperuit. Aliquid fēminae dīxit,
tum ad Terentiam rediit. Cōnsēdit in ūnā ē sellīs et Terentiam
intuēns rogāvit: "Age dīc, in quā rē tē adiuvāre possum?"

"Pūgiō," inquit Terentia, "mihi ablātus est; eum recuperāre
volō."

"Cūr putās mē posse tē adiuvāre?"

"Mē parvā," inquit, "patrem in ancillā reperiendā adiūvistī,
itaque putāvī tē et alia reperīre posse."

Clōdius exclāmāvit: "Patrem tuum! Fīlia es Terentiī Aëtiī!
Tē mē iam ante vīdisse sciēbam! Profectō tē in pūgiōne reperiendō adiuvāre possum. Rēs enim reperīre optimē sciō. Nihil
est quod reperīre nōn possim."

"Ain' tū?" respondit Terentia. "Num repperistī ancillam
patris? Eam enim nusquam vīdī posteā."

"Immō," inquit, "repperī..."

"Optimē," statim respondit Terentia.

"...mortuam," perrēxit Clōdius, "in Tiberī."

Ad quod Terentia: "Quid ais?"

Tum Clōdius, "Repperī tamen," inquit. "Per hōs oculōs
tibi iūrō!"

Capitulum
Octāvum

TERENTIA VIRUM PARVUM magnō ventre iam diū intuēbātur, cum fēmina parva conclāve intrāvit. Duo pōcula vīnī sēcum ferēbat. Ad Terentiam accessit et vīnum ante eam in mēnsā posuit. Tum ad Clōdium iit et vīnum ante eum posuit et ē conclāvī ēgressa est.

Clōdius pōculum vīnī statim sūmpsit et bibit. Tum pōculō positō Terentiam intuitus est.

"Sī rēctē intellēxī," inquit, "pūgiōnem tuum recuperāre vīs."

"Volō," respondit illa.

Clōdius Terentiae adnuit et Terentia dē nocte proximā nārrāvit. Clōdius manum ventrī magnō imposuit et Terentiae nārrantī, "Quid," inquit, "malum, nārrās?! Fuistīne in caupōnā 'Asinā'?! Est perīculōsissima. Scelestī sōlī ad eam eunt. Quid tū ibi noctū agēbās?"

"Vīnum," inquit Terentia, "bibēbam."

Clōdius adnuēbat sed Terentiam mentītam esse putābat.

Cōgitābat sēcum Clōdius: *Noctū forīs Rōmae esse perīculōsum est! Nēmō est quī nesciat! Et Terentiam—cuius patrem dīvitem ōlim adiūvī—ad scelestam illam caupōnam iisse, ut vīnum biberet! Etiam sōle lūcente ad eam caupōnam īre perīculōsum est. Quid mihi nārrāre nōn vult? Quid mē cēlat?*

Clōdiō sēcum sīc cōgitante, Terentia tacuit. Clōdius pōculum vīnī rūrsus sūmptum bibit. Tacitus paulisper sēdit dum tandem rogāvit: "Cūr pūgiōnem recuperāre vīs?"

"Rogās?!" inquit. "Pūgiōnem recuperāre volō quod meus est!"

"At pūgiō est tantum. Sunt aliī pūgiōnēs. Cūr hunc ipsum recuperāre vīs?"

Terentia īrāta esse vidēbātur. Paulisper tacuit, tum: "Est pūgiō pulcherrimus. Est argenteus."

"Pulchrum," inquit Clōdius, "pūgiōnem tibi dare possum. Mihi multī sunt."

Tum Terentia etiam īrātior, "At meum," inquit, "volō. Patris enim fuit. Prope nihil aliud quod eius fuit mihi restat. Mortuus enim est."

"Male hercle," inquit Clōdius, "nārrās, Terentia. Bonus fuit vir."

Clōdius pōculō vīnī rūrsus sūmptō sēcum cōgitāvit: *Haec plānē mentītur. Aliquid cēlat.*

Capitulum
Nōnum

Tum, "Quālis est?" inquit Clōdius.

"Quāle," inquit Terentia, "est quid?"

"Pūgiō quem quaeris, quālis est?"

Subīrāta, "Argenteus," inquit, "ut iam tibi dīxī."

"Intellegō," inquit, "est argenteus, sed Terentia, multī sunt pūgiōnēs argenteī. Sī pūgiōnem reppererō, quī sciam tuusne sit?"

Cui illa: "Audī: Intuentī pūgiō meus vidētur līneās habēre quae sōlī similēs lūcent. Adiuvābisne mē an nōn?"

"Faciam," inquit Clōdius et pōculum vīnī rūrsus sūmpsit.

"Optimē!" inquit Terentia. "Sed dīc, quid amplius opus est tibi scīre?"

"Nihil amplius," inquit Clōdius, "opus est mihi scīre," et subito vīnum sibi super tunicam imprūdēns effūdit.

"Clōdī," inquit Terentia, "vīnum super tunicam tibi effūdistī."

"Sciō," inquit Clōdius. "Licetne mihi tuum vinum bibere?"

Tum subrīdēns, "Abībō," inquit Terentia.

Et Clodius: "Bene, ego pūgiōnem tuum quaeram."

Tum Terentia: "Optimē! Valē!"

Terentia surrēxit et ad iānuam sē convertit, et, "Parvīs erat," inquit, "manibus."

Ad hoc Clōdius: "Quid? Quis?"

"Ille scelestus," inquit Terentia, "quī mihi pūgiōnem abstulit, parvīs erat manibus. Hoc caupō dīxit, sed nesciō adiuvetne."

Ad quod Clōdius: "Nesciō adiuvetne, sed meminerō. Valē!"

Terentia adnuit et ē conclāvī ēgressa est. Post sē Terentia Clōdium dē vīnō effūsō clāmantem audīvit.

Capitulum
Decimum

C UM TERENTIA ABIISSET, Clōdius tunicam exuit
quam in parvā et rubrā sellā posuit. Parvam fēminam
ad sē vocāvit, sed fēmina nōn vēnit. Clōdius īrātus ē
conclāvī flāvō conclāve rubrum intrāvit et ūnā ē iānuīs apertā
clāmāvit: "Ursula! Ubi es? Accēde hūc! Ursula! Tunica
mea maculās vīnī habet! Ego...immō, aliquis super tunicam
vīnum effūdit."

Sed Ursula nōn respondit: Post iānuam quam Clōdius
aperuerat nōn erat. Etiam īrātior proximam iānuam aperuit.
Ibi Ursula vīnum ē magnō pōculō bibēbat. Suspexit in Clōdium et ita rogāvit: "Quid vīs?"

"Quid," inquit Clōdius, "malum, nōn respondēs mihi
vocantī?"

Ursula nōn respondit sed Clōdiī ventrem intuēns rogāvit:

"Cūr venter tuus vīnī maculās habet?"

"Quid," inquit Clōdius, "dīxistī?"

"Cūr nūllam tunicam geris? Sīc," inquit Ursula, "forās īre nōn dēbēs. Quid enim hominēs dē tē dīcent?"

"Vīnum," inquit Clōdius, "imprūdēns effūdī."

Subīrāta, "Ain' tū?" inquit Ursula. "Cūr pūram tunicam nōn induis?"

"Quod," inquit Clōdius, "ubi sint pūrae tunicae, nesciō."

Ursula ē conclāvī ēgressa cum pūrā tunicā mox rediit. Flāva erat.

"Flāvam," inquit Clōdius, "nōn geram! Candidam volō!"

"At vīnum," inquit Ursula, "super candidam effūdistī. Ubi eam posuistī?"

"In sellā iacet," respondit Clōdius. "Sed cūr pōculum tuum maius est quam meum?"

Ursula Clōdium īrātīs oculīs paulisper intuita est, tum, "Quod," respondit, "semper vīnum imprūdēns effundis!"

"Plānē mentīris! Vīnum nēmō hercle melius bibere scit quam ego!"

Ursula tacuit et īrāta tunicam sūmpsit, dum Clōdius pūram tunicam induit.

CAPITULUM ŪNDECIMUM

PŪRĀ TUNICĀ INDŪTUS Clōdius forās ēgressus est. Praeteriit stabulum equōrum et asinōrum plēnum. Per multās viās iit dum ad caupōnam 'Asinam' vēnit. Clōdius paulisper in viā circumspexit. Tum iānuā caupōnam intrāvit.

In magnum conclāve vēnit. Ad mēnsam vacuam accessit et cōnsēdit.

Ministrō, "Heus tū, accēde hūc! Vīnum!" clāmāvit.

Ad mēnsam sedēns, circumspexit. In conclāvī trēs virī sedēbant quī omnēs ante sē magna vīnī pōcula habēbant. Minister ad Clōdium accessit et magnum pōculum ante eum quoque posuit.

Clōdius ministrum ita rogāvit: "Hāc nocte fēmina cum ancillā suā hīc fuit. Vīnum illī super tunicam effūsum est, tum

pūgiō illī ablātus est. Vīdistīne adulēscentem quī haec fēcit?"
Minister adnuit.

"Hunc adulēscentem, nōstīn'?"

Minister adnuit sed nihil respondit. Clōdius eum intuitus est. Tum sacculum prōmpsit ex quō apertō nummum prōmpsit. Nummum ministrō dedit. Minister subrīsit et nummō sūmptō abiit. Clōdius īrātus ministrō clāmāvit: "Accēde hūc, sceleste! Hoc quod te rogō mihi respondē!"

Caupō, vir capillō nigrō, quī ānulōs aureōs gerēbat, statim accessit.

"Omnia bene?"

"Rogās?! Nōn!" respondit Clōdius. "Aliquid ministrum tuum scelestum rogāvī, tum nummō sūmptō nōn respondit sed adnuit et tacitus abiit. Abeat in malam rem!"

"Graecus," inquit caupō, "est; nōn multa Latīnē dīcere scit. Latīnē nōn loquitur sed fortasse ego tē adiuvāre possum. Mihi nōmen est Oeneus et haec mea est caupōna."

"Mihi," inquit Clōdius, "nōmen est Q. Clōdius Crēscēns," et nummōs ē sacculō prōmptōs in mēnsā posuit.

Oeneus nummōs magnīs oculīs intuēns statim sūmpsit. Clōdius ea quae scīre volēbat rogāvit. Oeneus adnuit et tandem respondit: "Nesciō quis sit ille adulēscēns capillō nigrō quem fugientem fēmina secūta est, sed hūc saepe venit. Tunicās flāvās gerere solet. Nōn hercle placent tunicae flāvae."

Clōdius nummum alterum in mēnsā posuit.

"In mentem modo vēnit: Adulēscentem quem quaeris," inquit caupō, "ad Portam Capēnam ōlim vīdī, putō. Vīsne amplius vīnī?"

"Volō hercle!" exclāmāvit Clōdius.

Oeneus ministrum Graecum ad sē vocāvit. Minister ad

Clōdiī mēnsam accessit et, pōculō vīnī plēnō positō, subrīsit et ā mēnsā abiit. Clōdius pōculum sūmpsit et ex eō bibit. Ad Portam Capēnam īre nōlēbat. Nōn longē ā caupōnā 'Asinā' aberat sed Porta Capēna eī nōn placēbat; tam multī hominēs ad portam Capēnam erant, et amplius vīnī volēbat. Itaque mānsit et vīnum bibit.

PAULŌ POST...

Pōculum posuit, sed mēnsa nōn iam erat ubi paulō ante fuerat, et Clōdius imprūdēns omne vīnum sibi super ventrem effūdit.

Exclāmāvit: "Ō mēnsa scelestissima, abīn' in malam rem?" Surrēxit dē sellā et ē caupōnā īrātus ēgressus est.

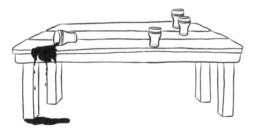

Capitulum
Duodecimum

Iānuā ēgressus Clōdius ventre suō magnō offendit adulēscentem parietī similem, tantus erat. Clōdius cecidit. Adulēscēns magnus nōn cōnstitit sed perrēxit.

Clōdius exclāmāvit: "Abī in malam rem, sceleste!" Tum adulēscentem intuitus est. Capillō nigrō erat et tunicam flāvam gerēbat!

Clōdius surrēxit, sed, cum multum vīnī bibisset, vix surgere poterat.

Adulēscentī abeuntī, "Manē!" clāmāvit.

Adulēscēns sē nōn convertit sed perrēxit. Celeriter ībat. Celerius quam Clōdius currēbat. Aliam post aliam viam ingressus est. Clōdius secūtus est. Circum Maximum praeteriit, tum aliam viam ingressus est. Clōdius secūtus est.

Subitō Clōdius rūrsus cecidit. Adulēscēns pugnō eum

percusserat. Clōdium humī iacentem intuitus est et īrātīs oculīs, "Quid, malum," inquit, "mē vīs? Cūr mē sequeris?" Pūgiōnem Clōdiō ad oculum tenēbat. Clōdius manūs sibi ventrī imposuit ubi pugnō percussus erat. Pallidus erat. "Quaerō," inquit Clōdius, "adulēscentem. Tē esse illum putābam."

"Age, intuēre mē!" inquit, "Sumne ille quem quaeris? Intuēre mē, inquam!"

"Nōn putō."

Cui adulēscēns: "Quī scīs?"

"Tam," inquit Clōdius, "magnīs es manibus!"

Adulēscēns subrīsit. Pūgiōne positō Clōdiō manum dedit.

Capitulum
Tertium Decimum

Adulēscēns abiit. Clōdius manibus ventrī impositīs in viā stābat. Cum venter maximē dolēret, pūgiōnem quaerere nōn iam volēbat. Ad Portam Capēnam īre nōlēbat. Circumspexit. Locum bene nōverat. Cum nōn longē ā Portā Capēnā iam esset, eō perrēxit. Ubi ad Viam Appiam vēnit, cōnstitit. Multī aderant hominēs, multī mendīcī. Mendīcī placēbant; ipse enim mendīcus ōlim fuerat. Illud autem nōn placēbat quod tam multī eōdem locō erant et quod mendīcī quī ad Portam Capēnam erant ūnum tantum deum esse putābant. Ūnum deum! Intellegere nōn poterat cūr Iuppiter aut Mārs eōs nōn percussisset. Tum in mentem vēnit Iovem et Martem hoc iam fēcisse—mendīcī enim erant. Quamquam ipse fortasse speciem mendīcī praebēre solēbat, pūriōrēs tamen tunicās gerēbat quam mendīcī. Statim ventrem magnum et tunicam flāvam intuitus est. Rubra erat maculīs vīnī. Iam nōn multō pūrior erat quam mendīcī, sed pūrior esse solēbat.

Clōdius ad Portam Capēnam adulēscentem quī pūgiōnem abstulerat diū oculīs quaesīvit. Multōs hominēs pulchrōs, multōs hominēs capillō nigrō, multōs hominēs tunicā flāvā, multōs hominēs parvīs manibus vīdit sed nēminem vīdit flāvā tunicā indūtum, capillō nigrō, manibus parvīs.

Paulō post ad senem accessit mendīcum ad Viam Appiam sedentem. Iuxtā eum in viā cōnsēdit et, "Salvē," inquit, "solēsne hīc sedēre?"

"Salvē et tū! Soleō," inquit mendīcus, "quid ad tē?"

Tum Clōdius: "Adulēscentem quaerō quem ad Portam Capēnam venīre solēre audīvī. Potesne mē adiuvāre?"

"Multī adulēscentēs," respondit senex, "hūc veniunt. Quā est faciē?"

"Hic adulēscēns," inquit Clōdius, "quem quaerō est pulcher, nigrō capillō et parvīs manibus. Vīdistīne hominem eā faciē?"

"Saepe," inquit senex, "hominem eā faciē vīdī sed nesciō sitne īdem quem tū quaeris. Multī eā faciē sunt. Cūr eum quaeris?"

"Pūgiōnem," inquit Clōdius, "fēminae abstulit."

"Nihil hercle," respondit senex, "dē adulēscente sciō quī pūgiōnem fēminae abstulerit. Audīvī autem aliquem Augustō ipsī pūgiōnem abstulisse!"

"Hoc scīre," inquit Clōdius, "mē nōn multum adiuvat. Bene autem fēcistī quod mē adiuvāre cōnātus es." Nummum ē sacculō suō prōmptum senī dedit et dē viā surrēxit.

"Valē!" inquit Clōdius.

Ā Portā Capēnā abiit et domum, quae iuxtā stabulum erat, rediit. Iam enim tenebrae erant et noctū Rōmae forīs esse nōlēbat, et maculam vīnī super ventrem habēbat.

Sēcum tum cōgitāvit: *Quid sī quis mē videat? Plānē mendīcus esse videor!*

CAPITULUM
QUĀRTUM DECIMUM

PROXIMŌ DIĒ CLŌDIUS domō ēgressus est. Nesciēbat ubi adulēscentem quaereret, itaque per viās nōn longē ā Caupōnā nōmine 'Asinā' ībat. Adulēscentem illum nigrō capillō reperīre volēbat, sed illō ipsō diē omnēs Rōmae capillō nigrō esse vidēbantur. Clōdius ad Portam Capēnam rediit sed nōn diū ibi mānsit. Cum illō mendīcō sene paulisper sēdit quī eōdem locō sedēbat quō proximō diē sēderat.

"Nihil," inquit senex, "novī vīdī."

Clōdius diūtius quaerere nōlēbat. Calor magnus Rōmae iam erat. Sōl lūcēbat sed Clōdiō neque sōl neque calor placēbat. Sōl Rōmae semper lūcēbat et magnus calor semper erat. Neque ipsa urbs eī placēbat. Nimis multī hominēs erant.

Ad caupōnam nōmine 'Asinam' rediit. Iānuā apertā intrāvit. In caupōnā calor et tenebrae erant. Mēnsam vacuam cōnspexit ad quam accessit et cōnsēdit ut iānuam vidēret.

Ministrō vocātō, "Vīnum!" inquit, "vīnum volō!"

Minister adnuit et ā Clōdiō abiit. Latīnē nōn multum intellegēbat sed 'vīnum' plānē intellegēbat. Paulō post cum pōculō vīnī rediit quod in mēnsā ante Clōdium tacitus posuit.

Clōdius in caupōnā diū mānsit ut vīnum biberet et adulēscentem exspectāret. Minister ad mēnsam eius saepe rediit ut Clōdiō amplius vīnī daret.

PAULŌ POST...

Cum Clōdius vīnum rūrsus poscēbat, iānua caupōnae aperta est. Iānuā intrāvit adulēscēns pulcher, longus, capillō nigrō. Tunicam flāvam gerēbat quae in tenebrīs vidēbātur esse aurea.

Adulēscēns per conclāve tacitum iit et ad mēnsam iuxtā Clōdium cōnsēdit. Vīnum poposcit et, ubi pōculum manū sūmpsit ut biberet, Clōdius eum intuitus est:
Parvīs erat manibus.

Capitulum
Quīntum Decimum

CLŌDIUS AD MĒNSAM iuxtā adulēscentem pulchrum sedēbat. Cum autem proximus adulēscentī sedēret, eum intuērī nōlēbat, itaque suum vīnī pōculum intuitus est. Sed nimis diū pōculum intuitus est. Oeneus enim caupō ad mēnsam eius mox accessit et, "Omnia," rogāvit, "bene? Malumne est vīnum? Nihil hercle dē vīnō scīs! Hoc est optimum vīnum! Pater meus fēcit. Abī in malam rem cum tunicā tuā flāvā!"

Clōdius ē pōculō in Oeneum suspexit.

"Omnia," inquit, "bene. Vīnum nōn malum est, immō optimum est. Cūr mihi hīc sedentī sīc clāmās?"

"Subīrātus," inquit Oeneus, "esse vidēbāris, nihil enim aliud iam diū intuēris quam pōculum tuum, quasi vīnum malum sit."

"Nihil est," respondit Clodius, "mēcum tacitus loquēbar."

Cui Oeneus subrīdēns, "Cavē," inquit, "cum homine malō loqueris."

Oeneus nōn abiit sed ad mēnsam paulisper stetit et, "Ecce," inquit, "adest ille quem quaeris. Proximus tibi sedet!"

Clōdius rūrsus suspexit et: "Iam sciō."

Caupō adnuit, tum Clōdius pōculō vīnī sūmptō bibere perrēxit. Oeneus nummīs ē mēnsā sūmptīs conversus abiit.

Cum prope nihil vīnī Clōdiō restābat, adulēscēns pulcher dē sellā surrēxit et abiit. Ubi ad iānuam vēnit, Clōdius quoque surrēxit. Vīnum quod restābat bibit et pōculō in mēnsā positō abiit ut adulēscentem sequerētur.

Clōdius iānuā apertā forās ēgressus est. Circumspexit. Cum multī hominēs in viā essent, adulēscentem nōn vidēbat. Tum eum subitō paulō longius cōnspexit. Clōdius eum statim secūtus est. Diū eum secūtus est. Ā caupōnā 'Asinā' celeriter abībant. Clōdius adulēscentem sequēbātur sed nesciēbat ubi Rōmae essent. Adulēscēns enim viīs ībat quibus Clōdius numquam ierat. Iam ingressī sunt parvam viam quae tam obscūra erat ut iam nox esse vidērētur, quamquam diēs erat et sōl lūcēbat. Via hominibus et caupōnīs vacua erat.

Subitō adulēscēns conversus rogāvit: "Heus tū! Sequerisne mē?"

Adulēscēns īrātus Clōdium intuēbātur; Clōdius nōn respondit sed cōnstitit.

Rūrsus adulēscēns: "Heus, heus, tibi dīcō! Sequerisne mē?

Vidē quid agās!"

Clōdius adnuit.

"Quid, malum," inquit adulēscēns, "mē vīs?"

"Pūgiōnem," inquit Clōdius, "pūgiōnem volō."

Adulēscēns Clōdium intuēns pūgiōnem prōmpsit et eum
prae sē tenēns, "Huncine," rogāvit, "pūgiōnem?"

Clōdius adnuit.

"Cūr," inquit adulēscēns, "pūgiōnem meum vīs?"

"Nōn," inquit Clōdius, "est tuus."

At ille, "Immō," inquit, "est. Cūr eum vīs?"

Ad hoc Clōdius, "Fēmina," inquit, "cui pūgiōnem abstulistī,
eum recuperāre vult: Fuit enim patris eius pūgiō."

Tum adulēscēns capillō nigrō, "Hunc pūgiōnem," inquit,
"nūllī fēminae abstulī!"

"Immō," inquit Clōdius, "fēcistī, et fēmina nunc eum recuperāre vult."

Ad haec adulēscēns īrātus, "Nōn," inquit, "hercle habēbit.
Nōn est eius pūgiō; neque tuus neque eius est. Meus est!
Pater illīus scelestae fēminae mihi abstulit. Nēmō mihi eum
rūrsus auferet!"

Sē convertit ut abīret.

Tum Clōdius adulēscentī abeuntī clāmāns, "Quis," inquit,
"es? Hoc quod rogō respondē!"

Adulēscēns abīre perrēxit neque respondit.

Clōdius īrātus, "Dā," clāmāvit, "mihi pūgiōnem!"

At adulēscēns, "Numquam," respondit neque sē convertit.

Clōdius lapide dē viā sūmptō caput adulēscentī percussit.

Capitulum
Sextum Decimum

Clōdius adulēscentem nōn vehementer percusserat. Adulēscēns conversus Clōdium pugnō percussit.
Lapis Clōdiō ē manū cecidit. Adulēscēns eum rūrsus
pugnō percussit. Clōdius īrātus exclāmāvit et adulēscentī
caput pugnō vehementer percussit. Tum adulēscēns Clōdiō
ventrem percussit eā manū quā pūgiōnem tenēbat. Clōdius
pūgiōnem prehendit eumque manibus ad sē trāxit.
"Dā," clāmāvit Clōdius, "mihi pūgiōnem!"
Ad hoc, "Nōn est tuus!" inquit alter, "Mitte pūgiōnem!"
Et Clōdius et adulēscēns pūgiōnem manibus suīs tenēbant.
Tum vir magnus capillō rubrō quī prope eōs stābat subitō,
"Quid hoc," inquit, "reī est? Cūr pugnātis?"
Clōdius et adulēscēns nigrō capillō magnum virum intuitī
sunt sed pūgiōnem nōn mīsērunt. Tacēbant.

Tum magnus vir, "Nōnne," inquit, "tū es Clōdius?"

"Sum," inquit Clōdius, "quid ad tē?"

"Ego sum C. Bombius Parvus, ille quem in patre reperiendō
ōlim adiūvistī!"

Ad haec Clōdius, pūgiōne nōn missō, "Salvē," inquit,
"Parve, in hīs tenebrīs nōn vīdī esse tē. Omnia bene? Pater
bene valet?"

Tum, "Omnia," respondit Parvus, "bene, pater valet. Cūr
pugnātis?"

"Ecce," inquit Clōdius, "hic homō, adulēscēns scelestus,
fēminae pūgiōnem abstulit, quem nunc recuperāre cōnor,
sed eum mittere nōn vult."

Ad haec Parvus: "Ain'? Itaque pergite! An vīs," rogāvit,
"mē tē adiuvāre?"

"Profectō," inquit Clōdius, "volō!"

C. Bombius Parvus accessit ut adulēscentem prehenderet; sed is pūgiōne missō statim fūgit, nōlēbat enim cum Parvō, virō maximō, pugnāre. Clōdius manūs suās intuitus est. Manibus pūgiōnem tenēbat, sed vidēre nōn poterat pūgiōnem esse argenteum, quod nimis cruentus erat. Clōdiō ē manibus tantum sanguinis iam fluēbat ut pūgiō esset ruber. In Parvum suspexit et, "Grātiās," inquit, "tibi agō quod mē adiūvistī, Parve."

"At nihil," inquit, "fēcī! Sed mihi nunc abeundum est."

Tum Clōdius, "Valē," inquit.

Capitulum
Septimum Decimum

Iānuā apertā Clōdius conclāve rubrum intrāvit. Clōdiō ē manibus sanguis fluēbat et tunica sanguine rubra erat. Tam rubra erat quam conclāve. Iānuam proximī conclāvis, conclāvis illīus flāvī, aperuit et intrāvit. Tunicam exuit et in ūnā ē sellīs cōnsēdit. Tum pūgiōnem cruentum prōmpsit quem tunicā suā abstersit. Pūgiōne abtersō, manūs quoque abstersit.

Paulisper cōgitāvit.

Ē stabulō proximō equōs et asinōs audiēbat. Pūgiōnem argenteum intuēbātur sed, cum in tenebrīs sedēret, prope nihil vidēbat. Pūgiōne in mēnsā positō mox dormiēbat.

Ubi diēs vēnit, Clōdius sonitū equōrum excitātus est. Circumspexit. Tunicam cruentam in sellā vīdit. Vīdit etiam sibi sanguinem super ventrem esse. Surrēxit dē sellā et in proximum conclāve iit. Cum Clōdius ventre pūrō rediisset, pūram tunicam induit quae flāva erat, quamquam tunicae flāvae eī nūllō modō placēbant. Cōgitāvit sēcum: *Cūr tandem duās tunicās flāvās habeō?* Tum forās ēgressus est ut circumspiceret. Subitō, "Heus," clāmāvit, "tū quī candidam tunicam geris! Tibi dīcō, accēde hūc!"

Parvus puer ad Clōdium statim accessit et in eum suspexit. "Terentiam," inquit Clōdius, "fēminam quae hīc fuit, nōstīn'?" Puer adnuit. Clōdius nummum ē sacculō prōmptum puerō dedit et, "Curre," inquit, "ad Terentiam et nārrā mē patris dōnum repperisse."

Puer parvus adnuit et nummō ē manū Clōdiī sūmptō celerrimē abiit. Clōdius puerum currentem paulisper oculīs secūtus est, tum rūrsus aedēs intrāvit. Ad sellam in quā proximā nocte dormīverat rediit et statim cōnsēdit. Tum clāmāvit:"Ursula, ubi es? Accēde hūc! Mihi vīnō opus est!"

Paulō post fēmina parva cum pōculō vīnī plēnō vēnit, quod in mēnsā ante Clōdium posuit.

"Cavē," inquit Ursula, "pōculum plēnum est!"

Tum tunicā cruentā cōnspectā, quae in alterā sellā iacēbat, īrāta, "Quid, malum," inquit, "fēcistī? Tunica tua maculās nunc vīnī, nunc sanguinis habet! Nōnne tibi melius est tunicās nōn gerere?"

Ursula respōnsum nōn exspectāvit sed tunicā sūmptā ē conclāvī īrāta ēgressa est. Clōdius pōculō dē mēnsā sūmptō vīnum bibit. Pōculō positō pūgiōnem sumpsit quem proximā nocte in mēnsā posuerat. Pūgiōnem manibus prae sē tenēns intuitus est; maculae sanguinis etiam cōnspiciēbantur, quās Clōdius tunicā suā statim abstergēre cōnātus est. Exclāmāvit īrātus ubi in mentem vēnit hanc quoque tunicam iam maculās habēre! Sēcum cōgitāvit: *Fortasse Ursula rēctē dīxit. Fortasse melius est mihi tunicās nōn gerere...*

Pūgiōnem quem absterserat intuitus est. Pūgiō in sōle lūcēbat. Sed restābant parvae maculae obscūrae et līneae, quās Clōdius diū intuitus, "At quid," inquit, "hoc reī est?! Viārum, hercle, speciem hae maculae et līneae praebent!"

Capitulum
Duodēvīcēsimum

C LŌDIUS IN SELLĀ sedēns pūgiōnis parvās maculās
et līneās intuēbātur, cum Terentia iānuā intrāvit.
Clōdiō līneae illae speciem viārum praebēre vidē-
bantur. Terentia post Clōdium tacita cōnstitit.
Terentiā audītā Clōdius conversus statim dē sellā surrēxit.
Pūgiōnem in mēnsā celeriter posuit et ad Terentiam accessit.
"Salvē," inquit, "quam celeriter hūc vēnistī! Cōnsīde!"
Terentia in alterā sellā statim cōnsēdit et Clōdius in alterā.
Clōdius pūgiōnem dē mēnsā sūmpsit, quem ante Teren-
tiam tenēns, "Hunc pūgiōnem," inquit, "argenteum repperī.
Tuusne hic est?"
Terentia pūgiōnem magnīs oculīs intuita est.
"Meus est," inquit, "hic pūgiō. Grātiās, Clōdī, tibi agō
quod eum repperistī! Nihil mihi est quod tibi dem sed tibi

maximam grātiam habeō."

Pūgiōne sūmptō Terentia dē sellā surrēxit ut abīret ubi Clōdius, "Adulēscēns," inquit, "quī eum tibi abstulit, mēcum pugnāvit."

"Male nārrās!" inquit Terentia.

Tum Clōdius: "Ille nōlēbat tē pūgiōnem recuperāre. Scīsne, Terentia, cūr pūgiōnem velit?"

"Nesciō," respondit Terentia.

Tum Clōdius: "Scīsne quis sit?"

Terentia subīrāta ita respondit: "Rogās?! Iam tibi dīxī mē nescīre quis esset. Cūr idem rūrsus rogās?"

At Clōdius, "Tē rogō," inquit, "quod putō illum adulēscentem scīre quis tū sīs."

Terentia tacuit.

Hīc Clōdius: "Quid hae maculae, quae in pūgiōne sunt, significant?" Terentiam intuitus est.

Terentia, antequam sē convertit, "Tibi maculae," inquit, "in tunicā sunt. Quid illae significant?"

At Clōdius, "Et mihi," inquit, "in sōle illae līneae speciem viārum videntur praebēre."

Terentia ā Clōdiō conversa paulisper tacita stetit.

Tum, "Līneae," inquit, "nihil significant," et iānuā apertā celeriter ēgressa est.

Clōdius in sellā paulisper tacitus mānsit, tum dē eā surrēxit et Terentiam est secūtus sēcum sic cōgitāns: *Sciō Terentiam mihi mentītam esse: Plānē aliquid cēlat.* Quid significārent līneae, Clōdius quoque scīre volēbat. Itaque eam secūtus est. Forās ēgressus eam abeuntem vīdit. Eam tacitus secūtus est. Mox Terentia in viā cōnstitit, et circumspexit. Clōdius statim sē cēlāvit, nē cōnspicerētur. Terentia eādem viā perrēxit. Trāns viam euntem Clōdius longē secūtus est. Tandem Terentia ante caupōnam cōnstitit. Iānuam intuita est. Tum ingressa est. Nōn multō post ēgressa domum suam iit. Clōdius secūtus prope domum Terentiae forīs exspectāvit.

Clōdius scīre volēbat cūr Terentia illum pūgiōnem argenteum vellet. Tacitus sēcum cōgitābat pūgiōnem pulchrum esse et argenteum, sed pūgiōnem esse tantum. Clōdius respōnsum volēbat. Volēbat scīre quid Terentia cēlāret, quid līneae pūgiōnis significārent.

Terentia illō diē rūrsus domō ēgressa non est. Nox vēnit. Clōdius nusquam abiit. Ante Terentiae aedēs exspectāvit.

CAPITULUM
ŪNDĒVĪCĒSIMUM

TERENTIA IN LECTŌ sedēbat. Nox erat plēna sed nōn dormiēbat. Nōn poterat dormīre, quod dē pūgiōne multum cōgitābat quem prae sē tenēbat. Pūgiōnem in tenebrīs intuēns sēcum cōgitābat: *Quid nunc faciam? Patris pūgiōnem recuperāvī; quid eō faciam? Pater dīxit eum ad aliquid ductūrum esse, sed mortuus est antequam dīceret ad quid dūceret. Quid faciam?*

Terentia pūgiōnem convertit et eum diū intuita est. Parvās līneās quās in pūgiōne esse sciēbat in tenebrīs vidēre nōn poterat. *"In sōle illae līneae speciem viārum videntur praebēre."* Sīc Clōdius dīxerat. Līneās pūgiōnis rūrsus quaesīvit: *Fortasse Clōdius rēctē dīxit...*

Pūgiōne positō dormītum iit. Opus erat eī pūgiōnem in sōle intuērī.

Terentia sōle et sonitū viae excitāta est. Ubi surrēxit, pūgiōnem prōmpsit, et eum in sōle tenēbat. Līneae in sōle iam
cōnspiciēbantur. Plānē viārum speciem praebēbant! Līneās
intuēbātur ut vidēret quae viae essent, cum subitō, "At,"
exclāmāvit, "Circī Maximī speciēs hīc praebētur, et hīc Tiberis, itaque…Fortasse errō, sed…Dōrippa!! Ubi es? Accēde
hūc! Affer tunicam pūram!"
Terentia celeriter surrēxit et forās ēgressa est.

Capitulum
Vīcēsimum

Proximō diē Clōdius Terentiam domō ēgressam sequī perrēxit. Terentia diū iīsdem viīs quibus solēbat iit sed subitō trāns Forum Rōmānum iit. Cum in medium forum vēnisset, pūgiōnem prōmpsit, quem diū intuita est. Circumspexit. Tum conversa ingressa est viam tacitam et obscūram quae ad Subūram ferēbat. Clōdius secūtus in tenebrīs sē cēlāvit nē ab eā cōnspicerētur. Subitō aliquem ante eam in viā stāre cōnspexit: Erat adulēscēns capillō nigrō quōcum ipse pugnāverat et cui pūgiōnem abstulerat. Clōdius eōs loquentēs audīvit:

"Mīsistī," inquit adulēscēns, "scelesta, hominem magnō ventre quī mē sequerētur, quī mihi pūgiōnem auferret"

Terentia adnuit et, "Mīsī," inquit, "ipsa enim tē sequī nōluī."

Tum adulēscēns ita respondit: "Ille homō magnō ventre

mihi pūgiōnem abstulit; nōnne eum tibi post dedit? Dā mihi!"

"Nōn," inquit, "faciam. Tibi hunc pūgiōnem nōn dabō! Nōn est tuus!"

"Neque," respondit adulēscēns, "tuus est, sed Brūtī pūgiō fuit."

"Id," inquit Terentia, "bene sciō."

"Et Brūtus pater meus fuit!"

"Mentīris, sceleste!" exclāmāvit Terentia, "Fīlius Brūtī mortuus est!"

Cui adulēscēns, "Nōn," inquit, "plānē vīvō! Dā mihi pūgiōnem meum, scelesta!"

At Terentia: "Numquam!"

Ad hoc adulēscēns: "Scīs Augustum hunc pūgiōnem domī suae habuisse et cūstōdēs eius pūgiōnem nunc quaerere ut eum recuperent."

"Nēmō est," inquit Terentia, "quī id nesciat, sed pūgiōnem et eum quī pūgiōnem Augustō abstulit quaerunt. Ego nōn abstulī, tū fēcistī. Nōn fēminam sed virum quaerunt. Tē, inquam, sceleste, quaerunt, nōn mē!"

"Nōn," inquit adulēscēns, "sum scelestus. Augustus pūgiōnem habēre nōn dēbet."

Tum illa: "At es scelestus; omnia nōbīs abstulistī. Omnia nostra nunc tū habēs: omne aurum, omnēs ancillās, aedēs, omnia, inquam, habēs! Quid ad haec est tibi pūgiō? Omnia enim nostra iam habēs!"

"Tam," respondit, "scelesta es quam pater tuus, quī pūgiōnem mihi abstulit! Iam tacē et dā mihi pūgiōnem!"

"Numquam faciam, sceleste!" inquit Terentia, et gradū ad adulēscentem factō eum pūgiōne percussit.

Adulēscēns nigrō capillō manūs ventrī imposuit. Sanguis eī

ē ventre fluēbat ut tunica eius sanguine rubra esset. Tantum sanguinis eī ē ventre fluēbat ut lapidēs viae tam rubrī essent quam adulēscentis tunica. Terentia gradum ab adulēscente fēcit et eum intuita est cadentem. Sēcum cōgitāvit: *Hominem interfēcī.* Paulisper cruentum adulēscentis ventrem, tunicam cruentam, lapidēs viae cruentōs intuita est. Tum perrēxit neque sē convertit.

Clōdius in tenebrīs sē cēlābat. Vīderat Terentiam adulēscentī ventrem pūgiōne percutere. Clōdius sē in tenebrīs nōn mōverat. Iam Terentiam abeuntem, et ante aedēs quae iānuam nōn habēbant cōnsistentem vīdit.

Terentia diū pūgiōnem, quem prae sē tenēbat, intuita est. Tum aedēs sine iānuā intuita est. Subitō aedēs pūgiōne vehementer percussit, eōdem modō quō paulō ante adulēscentem pūgiōne percusserat.

Ē tenebrīs Clōdius longē vīdit iānuam in aedibus aperīrī. Aedēs intuēns cōgitāvit: *Nūlla iānua ibi paulō ante fuit, sed nunc est! Quid hoc reī est? Unde vēnit?*

Capitulum
Ūnum et Vīcēsimum

Terentia in conclāvī parvō et tacitō erat. Pūgiōnem cruentum prae sē tenēbat; intuita est sanguinem adulēscentis quem modo pūgiōne percusserat. Pūgiōnem manū abstersit, sed illae parvae līneae nōn cōnspiciēbantur, quod in sōle tantum lūcēbant.

Terentia hās līneās pūgiōnis longē secūta erat, quae eam per viās Rōmae dūxerant, sed sine sōle nūllō modō adiuvābant. Līneae eam ad hās aedēs dūxerant, sed Terentiae iam quaerendum erat.

Circumspexit: Conclāve erat vacuum. Parietēs, quī rubrī erant, intuita est. Ūnus ē parietibus maculam nigram habēbat, ē quā līneae aureae currēbant, quae sōlī similēs lūcēbant.

Quam cum Terentia diū intuita esset, subrīsit et pūgiōnem rūrsus prōmpsit. Mediam maculam pūgiōne percussit.

Gradum ā pariete fēcit. Parietem intuita est: Nihil. Conclāve erat tacitum. Terentia ad parietem rūrsus accessit. Pūgiōnem ē maculā parietis trāxit, quem prae sē tenēns intuita est. Pūgiōne conversō parietem rūrsus percussit et ā pariete gradum celeriter fēcit. Pūgiōnem et maculam cum suīs līneīs intuēbātur, cum sonitum ē pariete audīvit. Subitō ante Terentiam pariēs similis iānuae apertus est.

Erat aliquid post rubrum parietem in quō macula et līneae aureae cōnspiciēbantur. Aliquid lūcēbat. Terentia īnspexit. Conclāve aurī plēnum erat. Terentia subrīdēns parietem ingressa est. Tantum aurī numquam vīderat! "Grātiās tibi agō, mī pater! Hoc aurum Brūtī esse dēbet, quod hīc cēlāvit antequam Caesarem pūgiōne percussit. Hōc aurō bene vīvere poterō, ut ego et pater ōlim fēcimus!"

Cōnsēdit ut manūs aurō impōneret. Terentia subitō in faciem cecidit.

CAPITULUM
ALTERUM ET VĪCĒSIMUM

PAULŌ ANTE...

D UM TERENTIA IN aedibus sine iānuā est, Clōdius accessit ad adulēscentem quī dīxerat sē esse Brūtī fīlium. In viā cruentus iacēbat. Multum sanguinis erat. Media via sanguine rubra erat. Clōdius sēcum cōgitāvit: *Brūtī et Porciae fīlium iam diū mortuum esse putābam. Vehementer errāvī. Omnēs vehementer errāvimus! Sed nunc plānē mortuus est.*

Clōdius accessit et cōnsēdit iuxtā adulēscentem ut vidēret num mortuus esset. Nōn erat: Eōdem enim tempore quō Clōdius cōnsēdit, Brūtī fīlius eī caput lapide percussit. Clōdius cecidit.

Brūtī fīlius surrēxit. Īrātissimus erat quod ā Terentiā pūgiōne percussus erat. Alterā manū ventrī impositā, alterā

manū lapidem quō Clōdium percusserat etiam tenēbat. Aedēs sine iānuā celeriter intrāvit ut Terentiam reperīret. Ē conclāvī proximō paulisper audīvit illam sēcum loquentem. Tum tacitus ad eam accessit et eī caput lapide vehementer percussit.

"Meum est," exclāmāvit, "hoc aurum."

Terentia humī ante eum cruenta iacēbat.

"Patrem habēre mihi nōn licuit. Mortuus iam diū est: Patre mortuō nihil aliud habeō quam hoc aurum. Hoc aurum est meum!"

Terentia nōn respondit. Tacita humī iacēbat. Capillus eius ruber erat. Ruber erat sanguine capitis. Adulēscēns eam nōn intuitus est. Nōn vīdit sanguinem eī ē capite fluere. Aurum sōlum vīdit quod ante oculōs erat.

Adulēscēns forās fūgit in viam parvam et obscūram. Cucurrit ad Forum Rōmānum. Ibi hominem cum plaustrō cōnspexit. Tunicam hominis statim prehendit et, "Plaustrum," exclāmāvit, "et asinum tuum volō!"

"Nōn," respondit, "hercle, sceleste, tibi dabō! Mihi enim iīs opus est."

Cui adulēscēns, "Nummōs," inquit, "tibi dabō, sī mihi asinum et plaustrum dederis."

"Nōn dabō!" respondit vir, "Plaustrō meō mihi opus est."

Brūtī filius nummōs aureōs prōmpsit et ante oculōs virī tenēns, "Et," inquit, "tunicam tuam volō." Vir aurō cōnspectō tacitus adnuit et tunicam exuit. Eam in plaustrō posuit quod relīquit et cum nummīs aureīs statim abiit. Brūtī filius cum novō plaustrō ad viam parvam et obscūram et ad conclāve aurī plēnum celeriter rediit. Aurum in plaustrō celeriter posuit. Tum tunicam aurō imposuit nē quis malus reperīre posset aurum. Terentiam intuērī nōlēbat quae humī capillō cruentō etiam iacēbat. Eam in conclāvī iam vacuō humī iacentem relīquit.

Capitulum
Tertium et Vīcēsimum

C LŌDIUS SONITŪ PLAUSTRĪ quod praeterībat excitātus est. Humī iacēns circumspexit. Brūtī fīlium cum
asinō et plaustrō praetereuntem vīdit. Manum sibi
capitī imposuit eō locō quem Brūtī fīlius lapide percusserat.
Sanguis eī ē capite fluēbat. Caput eī multum dolēbat. Surrēxit.
Clōdius Brūtī fīlium aliam viam cum plaustrō celeriter
ingredientem vīdit, sed eum nōn est secūtus. Conversus aedēs
sine iānuā intrāvit, ut vidēret quō Terentia abiisset.

In obscūrum conclāve vēnit. In pariete pūgiō etiam erat.
Post parietem in proximō conclāvī Terentia cruentō capite
humī iacēbat. Nihil aliud in conclāvī vacuō erat. Terentiae
capillus iam cruentus erat. Sanguis eī ē capite fluēbat. Clōdius
ad eam accessit et sēcum cōgitāvit: *Plānē mortua est! Tantum
sanguinis est! Ō hominem scelestum quī eam interfēcerit!*

Celeriter ēgressus est, et quod multum sanguinis erat—
sanguis nūllō modō Clōdiō placēbat—et quod sēcum sīc
cōgitābat: *Sī hīc mē vīderint, fortasse mē interfēcisse Terentiam
putābunt et mē prehendent!*

Capitulum
Quārtum et Vīcēsimum

Asinus fīlium Brūtī et plaustrum cum aurō domum eius trahēbat. Trāns Forum Rōmānum plaustrum cum aurō trāxit ad caupōnam nōmine 'Asinam', quae nōn longē ā domō fīliī Brūtī aberat.

Subitō Brūtī fīliō in mentem vēnit pūgiōnis, illīus pūgiōnis quō Brūtus Caesarem ōlim percusserat. In pariete aedium etiam erat. Quamquam aurum iam habēbat et nōn iam eī opus erat pūgiōne, tamen eum habēre volēbat. Conversō plaustrō ad Forum Rōmānum rūrsus iit.

Trāns forum Clōdium subitō cōnspexit, hominem parvum magnō ventre, capite cruentō cuius tunica multās maculās habēbat. Cōnstitit.

Trāns forum Clōdius Brūtī fīlium vīdit. Hic quoque cōnstitit. Diū alter alterum intuentēs stetērunt. Nesciēbant quid facerent.

Subitō trāns forum clāmātum est: "Heus tū!" Omnēs quī in forō erant tacuērunt et sē convertērunt.

Rūrsus clāmātum est: "Heus, heus, tibi dīcō, sceleste!" Clāmābat ūnus ē cūstōdibus Augustī. Cūstōs ad filium Brūtī celeriter accessit.

Clōdius trāns forum adulēscentem ā cūstōdibus Augustī prehendī et ā forō trahī vīdit. Ipse diū sē locō nōn mōvit. Nēmō sē locō mōvit. Hominēs in forō stantēs nōn ante sē locō mōvērunt quam cūstōdēs cum adulēscente abiērunt.

Clōdius plaustrum, in quō Brūtī filius sēderat, mediō forō relictum vīdit. Ad quod accessit. Īnspexit. Cōnsēdit. Surrēxit et rūrsus īnspexit. Cōnsēdit. Rūrsus surrēxit et rūrsus īnspexit. Plaustrum plēnum aurī erat!

Capitulum
Quīntum et Vīcēsimum

Asinus Clōdium et plaustrum aurī plēnum domum
Clōdiī trahēbat. Trāns Forum Rōmānum plaustrum
trāxit ad Portam Flūmentānam, domum Clōdiī.
Clōdius iānuam domūs aperuit. In parvō conclāvī trēs
hominēs quī barbam habēbant exspectābant. Ursula ex ūnā ē
iānuīs ēgressa, "Trēs," inquit, "hominēs tē iam diū exspectant."
"Videō," inquit Clōdius. Ad hominēs conversus subrīdēns,
"Aliō," inquit, "diē, redīte, tempus nunc nōn habeō."
Duo hominēs abiērunt sed tertius mānsit. Clōdius īrātus,
"Nōn," inquit, "tempus habeō. Audīn'? Aliō diē redī!"
Tum homō, "Audiō," inquit, "sed hūc vēnī quod Augustus
mē mīsit. Cūstōs eius sum et adulēscentem quaerō pulchrum
capillō nigrō. Hic enim adulēscēns aliquid Augustō abstulit,
quod Augustus nunc recuperāre vult. Oeneus caupō dīxit tē

quoque adulēscentem capillō nigrō quaerere. Itaque tē nunc rogō: Repperistīne eum?"

Clōdius pallidus erat. "Oeneus," respondit, "est homō scelestus!"

Cui cūstōs, "Sciō," inquit, "vīdistīne adulēscentem?"

"Vīdī. Trēs enim cūstōdēs Augustī adulēscentem eā faciē in Forō Rōmānō prehendērunt. Ā Forō Rōmānō modo vēnī. Hīs oculīs vīdī."

"Ain' tū?" inquit cūstōs Augustī.

"Aiō. Eum ā Forō Rōmānō manibus trāxērunt."

"Bene," inquit Augustī cūstōs, "nārrās. Itaque abībō. Ūnum autem aliud tē rogābō."

Cui Clōdius, "Rogā," inquit, "ūnum."

"Sanguis," inquit, "tibi ē capite fluit. Cūr?"

"Quod," inquit, "in capite est sanguis... et aliquis mē lapide percussit."

Tum cūstōs: "Rōma est perīculōsa."

"Est hercle ita ut dīcis, cavē!" respondit Clōdius.

"Valē!" inquit cūstōs.

Augustī cūstōs conversus abiit. Iānuā clausā Clōdius conclāve rubrum intrāvit.

"Ursula! Accēde hūc!" clāmāvit.

Ursula in conclāve celeriter vēnit.

"Quid," rogāvit, "vīs?"

"Ī," respondit Clōdius, "ad stabulum proximum, nōbīs est statim abeundum. Ubi sunt tunicae meae?"

"Tunicae," inquit, "tuae hīc sunt. Quō ībimus?"

"Nōn," respondit, "habeō tempus nārrandī, sed nunc eundum est. Nunc ipsum! Quam celerrimē! Age, curre ad stabulum proximum et dīc Clōdium raedam nunc velle!

Tum hūc celeriter redī et prōme tunicās et vīnum; Rōmā enim nōbīs ēgrediendum est."

"Num raedam tantum," rogāvit Ursula, "vīs? Nōn equum neque asinum?"

Īrātus Clōdius, "Immō," inquit, "cōgitā! Duōbus equīs nōbīs opus est! An vīs mē raedam trahere? Abī nunciam, age! Quid stās? Abī!"

Ursula subrīdēns ita rogāvit: "Asinō nōn opus est?"

"Nōn tacēs?" inquit Clōdius, "Nihil opus est asinō! Opus est raedā et duōbus equīs. Tantum est. Ī nunciam!"

Cum ad iānuam īret sēcum tacita cōgitābat: *Profectō nihil opus est asinō, cum tantus iam domī sit.*

CAPITULUM
SEXTUM ET VĪCĒSIMUM

RAEDA CELERITER ĪBAT. Clōdius et Ursula circum-spiciēbant ē raedā quae duōbus equīs trahēbātur. Per Portam Flūmentānam, trāns Pontem Aemilium iērunt et Viam Aurēliam ingressī sunt.

Tum Clōdius sēcum cōgitāvit: *Numquam Rōmam rūrsus vidēbō! Quod nōn doleō. Rōma enim mihi nōn multum placet, tantus calor est et tam multī sunt hominēs scelestī! Vehementer autem doleō quod Terentia mortua est et quod eam in conclāvī iacentem relīquī. Plānē scelestus sum. Vehementer errāvī.*

Cōnātus est dormīre, proximīs enim noctibus nōn multum dormīverat, sed vix Clōdius oculōs clauserat cum Ursula, "Quō," rogāvit, "īmus?"

"Nōn tacēs?" respondit Clōdius. "Mihi dormiendum est."

Tum Ursula: "Cūr, inquam, omnia nostra relīquimus?"

"Aurum et error," respondit. "Mihi dormiendum est."

"'Aurum et error.' Quid," inquit, "malum, mihi nārrās? Quid hoc significat? Quid? Estne perīculōsum nōbīs Rōmae manēre? Cūr scelestīs similēs fugimus?"

"Nōn tacēs?" inquit Clōdius.

"Quid," inquit Ursula, "fēcistī?! Cūr tam subitō Rōmā ēgressī sumus?"

Clōdius sacculum prōmptum ante oculōs Ursulae aperuit. Plēnus erat aurī quod in sōle lūcēbat.

"Unde," rogāvit, "hoc aurum habēs?"

"Nōn," inquit, "hercle, dīcam."

"Clōdī..."

"Scīre," inquit, "nōn vīs."

Tum Ursula: "Multumne aurī habēs?"

"Plaustrum," inquit, "quod attulī, plēnum aurī erat, quod omne nōbīscum nunc habēmus. Longē ībimus. Longē ab urbe Rōmā ībimus: Lutetiam ībimus. Tacē nunciam, mea Ursula, mihi dormiendum est."

"Ubi," rogāvit Ursula, "Lutetia est?"

"Longē," inquit, "ab urbe Rōmā; in Galliā."

"In Galliam īmus?! At ibi frīgus est."

"Nōn tacēs?" inquit Clōdius.

Ursula tacita adnuit. Nihil amplius rogāvit. Clōdius in raedā aurī plēnā mox dormiēbat.

CAPITULUM
SEPTIMUM ET VĪCĒSIMUM

POST MULTŌS DIĒS et noctēs et longissimam viam Clōdius et Ursula cum aurō Lutetiam intrāvērunt. Sōle lūcente Clōdius subrīdēns Ursulae, "Iam," inquit, "Ursula, in Galliā, Lutetiae sumus! Brūtī aurō ut Caesar ipse vīvere poterimus!"

Clōdius ē raedā dēscendit. Subrīsit sed nōn diū: Ante oculōs nōn Lutetiam, ante sē Terentiam īrātissimam vīdit. "Dī Bonī!" exclāmāvit, "Quid, malum, hoc reī est? At mortua es! Tē cruentam humī iacēre vīdī!"

Īrāta, "Salvē," inquit, "Clōdī!" et eum pūgiōne vehementer percussit. "Sīc eat quīcumque homō mihi aurum auferet!"

Clōdius in faciem cecidit et Terentia ad raedam eius accessit. Ursulae in raedā etiam sedentī, "Aurum," inquit Terentia, "meum abstulit. Mihi aurō opus est. Londīnium īre volō."

Ursula tacēbat. Terentia prae sē pūgiōnem cruentum manū tenēns sēcum loquēbātur: "Pater dīcēbat hominēs Londīniī esse bonōs—quamquam barbam habent—nōn esse scelestōs, quālēs Rōmae omnēs sunt. Aurō Brūtī mihi opus est, ut dīves vīvam! Nēmō enim mē nōvit, nēmō mē quaerit, quod Augustī cūstōdēs adulēscentem Rōmae iam prehendērunt. Hunc pūgiōnem numquam reperient neque aurum ad quod dūxit!"

Terentia parvam fēminam in raedā sedentem intuita est. Tum sacculum aurī plēnum prōmptum Ursulae dedit.

"Clōdius," inquit Terentia, "mē ad aurum sequī nōn dēbuit. Sed sūme hunc sacculum et abī! Mē numquam vīdistī. Audīn'?"

Ursula tacuit et sacculum aurī plēnum sūmp-sit, ē raedā dēscendit, et ā Terentiā, ā raedā, ā Clōdiō cruentō fūgit. Nōn circumspexit. Celeriter cucurrit ut ā Terentiā longē abīret.

Capitulum
Duodētrīcēsimum

Ursula currēbat. Diēs Lutetiae erat et Ursula per parvās urbis viās currēbat. Ā Terentiā fugiēbat cum mediā viā cōnstitit et paulisper sēcum cōgitāvit. Tum conversa ad Clōdium celeriter rediit.

Nōn longē ā raedā cōnstitit et exspectāvit dum Terentia in raedā cōnsīderet. Exspectāvit dum Terentia viīs Lutetiae cum aurō abīret. Post sē Clōdium relīquit. Terentia autem posteā nusquam vīsa est.

Ursula ad Clōdium humī iacentem tandem accessit. Iuxtā Clōdium cōnsēdit et eum paulisper intuita est. Manum

Clōdiō ventrī imposuit. Venter cruentus erat, sed ex eō sanguis nōn iam fluēbat.

"Clōdī?" inquit Ursula.

Clōdius oculīs apertīs in eam suspexit. Ursula subrīsit.

"Ō mī Clōdī," inquit, "nunc tunica tua maculās rūrsus habet."

Clōdius subrīdēns, "Iam tibi dīxī," inquit, "tunicae flāvae mihi nōn placent."

· FĪNIS ·

LIST OF ABBREVIATIONS

abl. = ablative

acc. = accusative

adj. = adjective

adv. = adverb

comp. = comparative

conj. = conjunction

dat. = dative

defect. = defective

dem. = demonstrative

trisyll. = trisyllabic

f. = feminine

gen. = genitive

impers. = impersonal

indecl. = indeclinable

indef. = indefinite

intens. = intensive

interj. = interjection

interrog. = interrogative

intr. = intransitive

lit. = literally

loc. = locative

m. = masculine

monosyll. = monosyllabic

n. = neuter

neg. = negative

nom. = nominative

num. = numeral

part. = participle

perf. = perfect

pers. = personal

pl. = plural

poss. = possessive

prep. = preposition

pron. = pronoun

quest. = question

rel. = relative

sup. = superlative

tr. = transitive

VOCABULARY

Many words admit of multiple constructions and forms. This list contains only the words, meanings (as far as possible), and constructions used in this story. For more information, consult your dictionary.

A

ā, ab, *prep. with abl.,* from, by.

abeō, -īre, -iī, -ītum, *tr.,* go away.

abstergeō, -ēre, -stersī, -stersum, *tr.,* wipe off.

absum, -esse, āfuī, āfutūrus, *intr.,* be absent.

accēdō, -cēdere, -cessī, -cessum, *intr.,* approach, walk up to.

ad, *prep. with acc.,* to, toward, at.

adiuvō, -āre, -iūvī, -iūtum, *tr.,* help.

adnuō, -ere, -uī, *intr.,* nod.

adulēscēns, -entis, *part. as noun, m.,* young man.

aedēs, -ium, f. pl., house, building.

afferō, -ferre, attulī, allātus, tr., bring.

āfuī *see* **absum.**

agō, agere, ēgī, āctum, *tr.,* do; **age!** come on! **grātiās alicui agere,** to thank someone.

aiō, *defect. verb,* say; **ain' tū?** really? is that so?

Alexandrīa, -ae, *f.*, city in Egypt.

aliquī, -qua, -quod, *adj.* some, any.

aliquis, -qua, -quid, *indef. pron.*, anyone, someone, somebody; anything, something.

alius, alia, aliud, *adj.*, another, other, some other; *pl. as noun*, others.

alter, -tera, -terum, *adj.*, the other, one (of two); **alter...alter,** the one...the other.

amplius, *adv.*, further, more.

an, *conj.*, whether.

ancilla, -ae, *f.*, female servant, slavegirl.

ante, *prep. with acc.*, before, in front of; *adv.*, earlier, previously, before.

antequam, *conj.*, before.

ānulus, -ī, *m.*, ring.

aperiō, -īre, -uī, -tum, *tr.*, open.

argenteus, -a, -um, *adj.*, (made) of silver.

asinus, -ī, *m.*, ass.

at, *conj.*, but; (in dialogue) then, and.

Athēnae, -ārum, *f. pl.*, Athens.

audiō, -īre, -īvī, -ītum, *tr.*, hear.

auferō, auferre, abstulī, ablā-
tum, *tr.*, take away, steal

aureus, -a, -um, *adj.*, (made) of gold, golden.

aurum, -ī, *m.*, gold.

autem, *conj.*, but, however, on the other hand, etc.

B

barba, -ae, *f.*, beard.

bene, *adv.*, well; *comp.*, **melius,** better; *sup.*, **optimē,** excellently, extremely well.

bibō, bibere, bibī, *tr. and intr.*, drink.

bonus, -a, -um, *adj.*, good; *comp.*, **melior, -ius,** better; *sup.*, **optimus, -a, -um,** excellent, best.

brevis, -is, *adj.*, short.

C

cadō, -ere, cecidī, *intr.*, fall.

calor, -ōris, *m.*, heat, warmth.

candidus, -a, -um, *adj.*, (shining) white.

capillus, -ī, *m.*, hair.

caput, -itis, *n.* head.

caupō, -ōnis, *m.,* innkeeper.

caupōna, -ae, *f.,* inn, bar.

caveō, cavēre, cāvī, cautus, *tr. and intr.,* beware (of), look out.

celeriter, *adv.,* quickly, fast.

cēlō, -āre, -āvī, -ātum, *tr.,* hide.

circumspiciō, -spicere, -spexī, -spectum, *tr. and intr.,* look around, scan.

clāmō, -āre, -āvī, -ātum, *intr.,* scream, shout.

claudō, -ere, clausī, clausum, *tr.,* close.

cōgitō, -āre, -āvī, -ātum, *tr.,* think.

conclāve, -is, *n.,* room.

cōnor, -ārī, -ātus sum, *intr.,* try.

cōnsīdō, -ere, -sēdī, -sessum, *intr.,* sit down.

cōnsistō, -sistere, -stitī, -stitum, *intr.,* stop, halt.

cōnspiciō, -ere, -spexī, -spectum, *tr.,* catch sight of, see.

convertō, -vertere, -vertī, -versus, *tr. and intr.,* turn (around); **conversus, -a, -um,** *part.,* having turned around.

cruentus, -a, -um, *adj.,* bloody, covered in blood.

cum, *conj.,* when, while, as, since.

cum, *prep. with abl.,* with, together with.

cūr, *conj.,* why?

currō, -ere, cucurrī, *intr.,* run.

cūstōs, -ōdis, *m.,* guard.

D

dē, *prep. with abl.,* down from.

dēbeō, -ēre, -uī, -itum, *tr. and intr.,* ought, owe.

tum, *adv.,* then, next; *in dialogue, indicating a change of speaker.*

dēscendō, -scendere, -scendī, -scēnsus, *tr., and intr.,* go down, come down.

deus, -ī, *m.,* god.

dīcō, -ere, dīxī, dictum, *tr.,* say, speak, refer to.

diēs, -ēī, *m.,* day.

diū, *adv.,* long, for a long time; *comp.,* **diūtius,** for a longer time; *sup.,* **diūtissimē,** for a very long time.

dīves, -itis, *adj.,* rich.

dō, dare, dedī, datum, *tr.,* give.

doleō, -ēre, -uī, *tr. and intr.,* be sad, sorry (for); hurt.

domus, -ūs, *f.,* home, house.

dōnum, -ī, *n.,* gift.

dormiō, -īre, -īvī, -ītum, *intr.,* sleep, be asleep.

dūcō, -ere, dūxī, ductum, *tr.,* lead, take (to a place).

dum, *conj.,* while, as long as, until.

duo, -ae, -o, *num. adj.,* two.

E

ē, ex, *prep. with abl.,* from, out of, out from.

ecce, *interj.,* look!

effundō, -ere, -fūdī, -fūsus, *tr.,* pour out, spill.

ego, *pers. pron.,* I; **mihi,** (for) me; **mē,** me.

ēgredior, -gredī, -gressus sum, *intr.,* come out, go out.

enim, *conj.,* for.

eō, īre, iī, itum, *intr.,* go, come.

eō, *adv.,* to that place, there.

equus, -ī, *m.,* horse.

errō, -āre, -āvī, -ātum, *intr.,* stray, be wrong.

error, -ōris, *m.,* mistake, error.

et, *conj.,* and, also; **et...et,** both... and.

etiam, *adv.,* even, also; still.

excitō, -āre, -āvī, -ātum, *tr.,* rouse, wake.

exclāmō, -āre, -āvī, -ātum, *intr.,* shout out, scream.

exspectō, -āre, -āvī, -ātum, *intr. and intr.,* expect, wait, wait for.

exuō, -ere, -uī, exūtum, *tr.,* take off.

F

faciēs, -ēī, *f.,* face, appearance; **quā faciē est?** what does he/she look like?

faciō, facere, fēcī, factum, *tr.,* do, make, act.

fēmina, -ae, *f.,* woman.

fīlia, -ae, *f.,* daughter.

fīlius, -ī, *m.,* son.

flāvus, -a, -um, *adj.,* yellow, blond (hair).

fluō, -ere, flūxī, *intr.,* flow.

forās, *adv., with verb of motion,* outside, out.

forīs, *adv., with verb of rest,* outside, out.

fortasse, *adv.,* perhaps, maybe.

forum, -ī, *n.,* market-place,

square.

frīgus, -oris, *n.,* cold.

fugiō, fugere, fūgī, *tr. and intr.,*
run away (from), flee (from).

G

Gallia, -ae, *f.,* Gaul (roughly
modern France).

gerō, gerere, gessī, gestum, *tr.,*
wear.

gradus, -ūs, *m.,* step; **gradum
facere,** to take a step.

Graecus, -a, -um, *adj.,* Greek,
Grecian.

grātiae, -ārum, *f. pl.,* thanks;
grātiās alicui agere, to thank
someone.

H

habeō, -ēre, -uī, -itum, *tr.,* have.

hercle, *interj., by Hercules! really.*

heus (monosyll.), *interj.,* hey!

hīc, *adv.,* here; at this moment.

hic, haec, hoc, *dem. pron. and
adj.,* this.

homō, -inis, *m. and f.,* man,

person.

hūc, *adv., with verbs of motion,*
here, to this place.

humus, -ī, *f.,* ground;
humī, (loc.) on the ground.

I

iaceō, -ēre, iacuī, *intr.,* lie.

iam, *adv.,* already.

iānua, -ae, *f.,* door.

ibi, *adv.,* there.

īdem, eadem, idem, *dem. pron.
and adj.,* the same.

ille, illa, illud, *dem. pron. and
adj.,* that, the; *as a noun,* he,
that man, woman.

immō, *adv., (correcting)* in fact,
no rather.

impōnō, -ere, -posuī, -positum,
tr. with dat., place on, put.

imprūdēns, -entis, *adj.,*
thoughtless, through careless-
ness; **imprūdēns aliquid facere,** to do something by mistake.

in, *prep. with abl.,* in at, on; *prep.
with acc.,* into, to, against.

induō, -duere, -duī, -dūtum, *tr.,*
dress, put on.

ingredior, -gredī, -gressus sum,
tr. and intr., enter.

inquam, inquis, inquit, defect.
verb., I say, you say, he says.

īnspiciō, -spicere, -spexī, spec-
tum, tr., look into.

intellegō, -legere, -lēxī, -lēc-
tum, tr. and intr., understand,
realize.

interficiō, -ficere, -fēcī, -fectum,
tr., kill.

intueor, -ērī, -tuitus sum, tr.,
look at, watch.

ipse, ipsa, ipsum, intens. pron.,
myself, yourself, himself, etc.

īrātus, -a, -um, part. as adj.,
angry.

is, ea, id, pron. and adj., this,
that, the, he, she, it.

ita, adv., so, in that way; just so,
yes.

itaque, conj., therefore.

iūrō, -āre, -āvī, -ātum, intr.,
swear.

iuxtā, prep. with acc.., next to.

L

lapis, -idis, m., stone.

Latīnē, adv., in Latin, Latin;
Latīnē intellegere, loquī,
scīre, understand, speak, know
Latin.

lectus, -ī, m., bed.

licet, licēre, licuit, impers., it is
allowed, permitted, possible.

līnea, -ae, f., line.

locus, -ī, m., place, spot.

Londīnium, -ī, n., London.

longē, adv., far; far away.

longus, -a, -um, adj., long.

loquor, loquī, locūtus sum, tr.
and intr., speak, talk.

lūceō, -ēre, -xī, intr., shine, glow.

lūmen, -inis, n., light.

Lutetia, -ae, f., Paris.

M

macula, -ae, f., spot, stain.

magnus, -a, -um, adj., large,
great; comp., maior, -us, great-
er, larger; sup., maximus, -a,
-um, largest, greatest.

maius, see magnus.

male, adv., badly.

malus, -a, -um, adj., bad, evil;
abī in malam rem! go to

hell! (*lit.* *"go the bad thing!"*)
malum! (*indecl., added parenthetically to emphasize a question.*) The hell! the devil!

maneō, manēre, mānsī, *intr.,* remain, wait, stay.

manūs, -ūs, *f.,* hand.

maximus, see **magnus.**

mē *see* **ego.**

medius, -a, -um, *adj.,* middle of, middle.

melius, *see* **bene.**

meminī, meminisse, *tr.,* recall, remember.

mendīcus, -ī, *m.,* beggar.

mēns, -tis *f.,* mind; **in mentem mihi venit,** it occurs to me, I realize.

mēnsa, -ae, *f.,* table.

mentior, -īrī, -ītus sum, *intr.,* lie.

meus, -a, -um, *poss. adj.,* my, mine.

minister, -trī, *m.,* servant.

mittō, mittere, mīsī, missum, *tr.,* send; let go.

modo, *adv.,* only, just, just now.

modus, -ī, *m.,* way.

morior, morī, mortuus sum, *intr.,* die; *part. as adj.,* **mortuus, -a, -um,** dead.

moveō, movēre, mōvī, mōtum, *tr.* move.

mox, *adv.,* soon.

multō, *adv.,* by much, much.

multum, *adv.,* much.

multus, -a, -um, *adj.,* much, many.

N

nārrō, -āre, -āvī, -ātum, *tr.,* tell, relate; **bene, male nārrās!** that's good, bad news! glad, sorry to hear that!

-ne, *conj., mark of direct quest.; in indirect quest.,* whether.

nec, neque, *conj.,* nor, and...not; **neque...neque,** neither...nor.

nēmō (*gen. and abl. supplied by* nūllīus *and* nūllō), *m.,* nobody.

nesciō, -scīre, -scīvī, *tr.,* not know.

niger, -gra, -grum, *adj.,* black.

nihil, *indecl. noun, n.,* nothing, not...anything.

nimis, *adv.,* too.

noctū, *adv.,* at night, by night.

nōlō, nōlle, nōluī, *tr. and intr.,* be unwilling, not want, refuse.

nōmen, -inis, *n.* name.

nōn, *adv.,* no.

nōnne, *interrog.* *(exspecting an affirmative answer)* do you not...? Isn't? etc.

noster, -tra, -trum, *poss. adj.,* our, of ours.

nōsco, nōscere, nōvī, nōtus, *tr.,* come to know, examine; *perf. tense,* know.

novus, -a, -um, *adj.,* new.

nox, noctis, *f.,* night.

nūllus, -a, -um, *adj.,* no, no one; **nūllō modō,** in no way, not at all.

num, *conj., mark of direct quest. suggesting a neg. answer; in indirect quest.,* whether.

nummus, -ī, *m.,* coin.

numquam, *adv.,* never.

numquid, *conj. with pron.,* anything? *in indirect quest.,* whether anything; **numquid vis,** have you anything further to say? was there anything else? do you want me further?

nunc, *adv.,* now.

nunciam, *adv., (trisyll.)* right now, now.

nusquam, *adv.,* nowhere.

O

Ō, *interj.,* O, oh!

obscūrus, -a, -um, *adj.,* dark.

oculus, -ī, *m.,* eye.

offendō, -fendere, -fendī, fēnsum, *tr.,* strike, run into.

ōlim, *adv.,* once, at one time.

omnis, -is, *adj.,* all, every.

optimus, -a, -um, *see* **bonus.**

opus est, *with dat. of person in need and abl. of person or thing needed,* there is need; **opus est mihi librō,** I need a/the book.

P

pallidus, -a, -um, *adj.,* pale.

pariēs, -ietis, *m.,* wall.

parvus, -a, -um, *adj.,* small, little.

pater, -tris, *m.,* father.

paulisper, *adv.,* for a little time, for a little while.

paulum, *adv. a little; as indecl. noun, n.,* a little.

per, *prep. with acc.,* through, over,

(in swearing) by.

percutiō, -cutere, -cussī, -cussum, *tr.,* strike, stab.

pergō, pergere, perrēxī, perrēctum, *intr.,* go on, continue.

perīculōsus, -a, -um, *adj.,* dangerous.

placeō, -ēre, -uī, -itum, *intr.,* please, be pleasing.

plānē, *adv.,* clearly, absolutely.

plaustrum, -ī, *n.,* cart.

plēnus, -a, -um, *adj. with gen.,* full.

pōculum, -ī, *m.,* cup.

pōnō, pōnere, posuī, positum, *tr.,* place, put.

pōns, pontis, *m.,* bridge.

porta, -ae, *f.,* gate.

poscō, poscere, poposcī, *tr.,* demand, order.

possum, posse, potuī, *intr.,* be able, can, may.

post, *adv.,* later, afterward; **post,** *prep. with acc.,* behind, after.

posteā, *adv.,* afterwards, thereafter.

prae, *prep. with abl.,* in front of.

praebeō, -ēre, -uī, -itum, *tr.,* provide, hold forth.

praetereo, -īre, -iī, -itum, *tr.,*

pass, walk by.

prehendō, -ere, -ī, prehēnsum, *tr.,* grab, seize.

profectō, *adv.,* surely, certainly, indeed.

prōmō, -ere, -psī, -ptum, *tr.,* take out.

prope, *prep. with acc.,* near; *adv.,* near, almost.

proximus, -a, -um, *adj. with dat.,* closest, next to.

puer, -ī, *m.,* boy.

pūgiō, -ōnis, *m.,* dagger.

pugnō, -āre, -āvī, -ātum, *intr.,* fight.

pugnus, -ī, *m.,* fist.

pulcher, -chra, -chrum, *adj.,* beautiful, handsome.

pūrus, -a, -um, *adj.,* clean.

putō, -āre, -āvī, -ātum, *intr. and tr.,* think.

Q

quaerō, -ere, quaesīvī, quaesītum, *tr.,* search for, look for.

quālis, -e, *adj.,* as, such as; what sort of?

quam, *adv.,* how, what a.

quamquam, *conj.,* although.

quasi, *conj. and adv.,* as if.

quī, quae, quod, *rel. pron.,* who, which, what.

quīcumque, quaecumque, quodcumque, *indef. rel. pron.,* whoever, whatsoever, whatever.

quis, quae, quid, *interrog. pron.,* who, what? **quī?** how?

quō, *adv., (after verbs of motion)* where, where to?

quod, *conj.,* that, because, since.

quōmodo, *adv.,* how.

quoque, *adv.,* also, too.

R

raeda, -ae, *f.,* carriage, coach.

rēctē, *adv.,* rightly, correct.

recuperō, -āre, -āvī, -ātum, *tr.,* recover, get back.

redeō, -īre, -iī, -itum, *intr.,* go gack, return.

relinquō, -linquere, -līquī, -lictum, *tr.,* leave, leave behind.

reperiō, reperīre, repperī, repertus, *tr.,* find, run across.

rēs, -eī, *f.,* affair, circumstance, fact, matter, thing.

respondeō, -spondēre, -spondī, -spōnsus, *tr.,* answer, reply.

restō, -āre, -āvī, -ātum, *intr.,* remain.

rogō, -āre, -āvī, -ātum, *tr.,* ask, ask for.

Rōma, -ae, *f.,* Rome.

ruber, -ra, -rum, *adj.,* red.

rūrsus, *adv.,* again.

S

sacculus, -ī, *m.,* small sack.

saepe, *adv.,* often.

salveō, -ēre, *intr.,* be well; **salvē!** hello!

sanguis, -inis, *m.,* blood.

scelestus, -a, -um, *adj.,* crooked, criminal.

sciō, -īre, -īvī, -ītum, know.

sed, *conj.,* but.

sedeō, -ēre, sēdī, sessum, *intr.,* sit.

sella, -ae, *f.,* chair.

semper, *adv.,* always, all the time.

senex, senis, *m.,* old man.

sequor, sequī, secūtus sum, *tr.,* follow.

sī, *conj.,* if, though.

sīc, *adv.,* in this way, so.

significō, -āre, -āvī, -ātum, *tr.,* mean.

similis, -is, *adj. with dat.,* like, similar to.

sine, *prep. with abl.,* without.

sōl, -is *m.,* sun.

soleō, -ēre, -solitus sum, *intr.,* be accustomed, to do something often.

sōlus, -a, -um, *adj.,* alone, by oneself; only.

sonitus, -ūs, *m.,* sound, noise.

speciēs, -ēī, *f.,* appearance; **speciem alicuius reī praebēre,** to give the impression of something, to look like something.

stabulum, -ī, *m.,* stable.

statim, *adv.,* at once, immediately.

stō, stāre, stetī, *intr.,* stand.

subīrātus, -a, -um, *adj.,* somewhat angry, irritated.

subitō, *adv.,* suddenly.

subrīdeō, -rīdēre, -rīsī, *intr.,* smile.

Subūra, -ae, *f.,* an area of the city of Rome.

sum, esse, fuī, futūrus, *intr.,* be.

sūmō, sūmere, sūmpsī, sūmptum, *tr.,* take, take up.

super, *prep. with acc.,* on, (spread) over.

surgō, -ere, surrēxī, *intr.,* rise, get up.

suspiciō, -picere, -pexī, -pectum, *intr. (with* in *with acc.)* look up at.

suus, -a, -um, *poss. adj.,* his, hers, his own, her own.

T

taceō, -ēre, -uī, tacitum, *intr.,* be still, be quiet; **tacitus, -a, -um,** quiet, silent.

tam, *adv.,* so.

tamen, *adv.,* however, still, yet.

tandem, *adv.,* finally, at last.

tantum, *adv.,* only; so much.

tantus, -a, -um, *adj.,* so great, such.

tempus, -oris, *n.,* time.

tenebrae, -ārum, *f. pl.,* darkness.

teneō, -ēre, -uī, *tr.,* hold, keep.

trahō, -ere, trāxī, trāctum, *tr.,* drag.

trāns, *prep with acc.,* across, over.

trēs, tria, *num. adj.,* three.

tū, *pers. pron.,* you, yourself; **tibi,**
for you; **tē,** you.

tum, *adv.,* then, at that time.
Quid tum? So what

tunica, -ae, *f.,* tunic.

tuus, -a, -um, *poss. adj.,* your.

U

ubi, *adv.,* where; as *conj.* when.

umbra, -ae, *f.,* shadow.

unde, *adv.,* from where, from
which place.

ūnus, -a, -um, *adj.,* a single, one.

urbs, -is, *f.,* city.

ut, *conj., (purpose)* that, in order
that; *(result)* that.

come.

venter, -tris, *m.,* stomach.

via, -ae, *f.,* street.

videō, -ēre, vīdī, vīsum, *tr.,* see;
videor, vidērī, vīsus sum, *intr.,*
seem.

vīnum, -ī, *n.,* wine.

vir, -ī, *m.,* man.

vīvō, vīvere, vīxī, vīctum, *intr.,*
live.

vix, *adv.,* hardly, barely.

vocō, -āre, -āvī, -ātum, *tr.,* call.

volō, velle, voluī, *tr.,* want.

V

vacuus, -a, -um, *adj. with abl.,*
empty.

valeō, -ēre, -uī, be well, strong;
valē! goodbye!

vehementer, *adv.,* violently,
fiercely.

veniō, -īre, vēnī, ventum, *intr.,*

ADDITIONAL RESOURCES FOR PŪGIŌ BRŪTĪ:

AUDIOBOOK

If you want twice as much fun—and twice as much Latin!—there is also a studio recording of the book available, with a runtime of 102 minutes.

For more information, visit: **www.latinitium.com/books/pugiobruti**

ONLINE COURSE

So that readers can get as much Latin as possible from Pūgiō Brūtī, a course to accompany the book will be available online in 2019. The course will include:

- Dialogues in easy Latin to enrich the story and your vocabulary,
- Reading and listening comprehension exercises,
- Grammar and vocabulary practise,
- History lessons to deepen the understanding of the Roman world,
- Passages from Roman authors,
- Supplementary materials for teachers,

And more!

For more information, visit: **www.latinitium.com/books/pugiobruti**

Also available from Latinitium:

We are pleased and honored to be able to present this almost forgotten gem, *Ad Alpes – a Tale of Roman Life* by H. C. Nutting. It is a long, continuous and varied narrative in excellent Latin, tracing the journey of a Roman family through the ancient world. Its overarching frame story contains within it many shorter stories, each of which is full of interest.

This delightful book is a valuable supplement to any intermediate course because it provides the learner with what is often missing—lots of extensive reading. It helps build language ability and confidence and, above all, it is fun!

For more resources for teaching yourself Latin, visit:
www.latinitium.com.